D0296819

Carry Slee

Debby

Carry Slee schreef ook over Toine en Fleur uit *Afblijven* twee gloednieuwe boeken. Kijk voor meer informatie over verkoopadressen op www.carryslee.nl.

Afblijven werd bekroond door de Nederlandse Kinderjury en de Jonge Jury.

De film *Afblijven* is gebaseerd op het gelijknamige, bekroonde boek van Carry Slee. Het scenario en de regie is in handen van Maria Peters.

Kijk voor alle boekuitgaven, soundtrack-cd (met o.a. Brainpower), singles *Vlinders* en *Afblijven*, videoclips, ringtones, mobile game en merchandise op www.afblijvendefilm.nl.

www.carryslee.nl
www.afblijvendefilm.nl

Omslagontwerp Locust / Michael Randeraat
Foto omslag Govert de Roos
Model Melody Klaver
Ontwerp Carry Slee letterlogo Marlies Visser
Zetwerk ZetSpiegel, Best
ISBN 90 499 2180 9
NUR 284

Carry Slee is een imprint van Foreign Media Books BV,
onderdeel van Foreign Media Group

1

Nee hè! denkt Debby als ze haar straat in fietst. Sofie is er. Haar zus is al zo'n pestkop, maar met Sofie erbij zijn het echt twee bitches. Ze zet haar fiets in de tuin en gaat naar binnen. Gelukkig, die twee zitten boven, dan heeft ze tenminste geen last van ze. Ze schenkt een cola voor zichzelf in en zet MTV aan. Eigenlijk moet ze leren, ze hebben morgen een proefwerk Engels en vanavond moet ze naar hiphopdansles. Eén liedje dan, denkt ze, en ze ploft met wat chips op de bank. Het worden er natuurlijk toch weer meer, zo gaat het altijd.

Ze schrikt als ze ziet hoe laat het is. Nu moet ik beginnen, denkt ze, en ze gaat naar boven. Op de trap hoort ze Marit al lachen. De deur van Marits kamer staat open. Als Debby langsloopt, ziet ze haar zus met Sofie op bed zitten. Ze lepelen uit een grote beker ijs.

'Ah, zusje,' zegt Marit. 'Ook een hapje? Lekker hoor.' Ze houdt een lepel ijs op.

Debby loopt Marits kamer in, maar als ze wil happen, stopt Marit de lepel gauw in haar eigen mond en dan begint ze hard te lachen.

'Leuk hoor!' Debby gaat haar kamer in. Ze zet muziek aan, dan hoeft ze dat stomme gegiechel van Marit en Sofie tenminste niet te horen.

Debby leert altijd bij muziek, ze kan zich juist veel moeilijker concentreren als het helemaal stil is.

Ze is helemaal in haar Engelse tekst verdiept als ze voetstappen op de trap hoort. Nog geen tel later wordt de deur van haar kamer opengegooid. Ze ziet het al aan haar moeders gezicht: ze is kwaad. 'Ik vind het zo onaardig van je,' begint ze.

'Wat bedoel je?' vraagt Debby.

'Doe nou maar niet alsof je van niks weet. Ik had speciaal van dat lekkere ijs in huis gehaald. Voor morgen, als mijn leesclub komt. En jij hebt het vanmiddag opgegeten.'

'Helemaal niet,' zegt Debby. 'Dat heb ik niet gedaan.'

'Het bewijs ligt in de afvalbak, meisje,' zegt haar moeder.

'Ik heb geen ijs gegeten,' zegt Debby. 'Dan moet je bij Marit zijn.'

'Debby, alsjeblieft,' zegt haar moeder. 'Dat je zoiets doet is al erg genoeg, maar ga nou niet Marit de schuld geven. Waarom kan ik je nou nooit vertrouwen?' Haar moeder loopt weg.

Debby bijt op haar lip. Dat vindt ze nog het allerergste: als haar moeder zegt dat ze haar niet kan vertrouwen. Ze loopt naar de kamer van Marit, maar daar is niemand meer. Dit laat ze niet op zich zitten en ze gaat naar beneden. Marit en Sofie hangen voor MTV.

'Jullie hebben dat ijs opgegeten,' zegt Debby. 'En mama geeft mij de schuld.'

'Hebben wij ijs gegeten?' Marit kijkt Sofie aan.

'Ik weet van niks,' zegt Sofie.

'Ik ook niet,' zegt Marit en ze lacht gemeen.

'Trut!' roept Debby. De tranen staan in haar ogen. Ze rent de trap op. Boven gaat ze op haar bed zitten. Ze voelt zich machteloos. Haar moeder gelooft haar niet, ze gelooft haar nooit. Marit weet het altijd zo te brengen dat het net lijkt of zij de schuldige is. Haar moeder kiest altijd partij voor Marit. Dat komt omdat Debby op haar vader lijkt en sinds de scheiding haat haar moeder hun vader. Debby kan haar zus wel vermoorden en Sofie al helemaal. Wat is zij blij dat die twee niet bij haar op school zitten.

Aan tafel doet Marit net alsof er niks is gebeurd. Ze praat aan een stuk door over haar vriendje. Ze heeft het uitgemaakt. Het is al de zoveelste dit jaar. Marit heeft meestal vriendjes en het duurt nooit langer dan een week. 'Ik heb het helemaal gehad met die koters,' zegt ze. 'Ze zijn allemaal hetzelfde, kleuters zijn het.'

'Weet je wat ik nou echt een leuke jongen vind?' zegt haar moeder. 'Toine. Ik heb vanmiddag weer met zijn moeder getennist en toen stond hij achter de bar. Wat een heerlijk joch is dat toch.'

'Op school zijn ook alle meiden verliefd op hem,' zegt Debby.

'Dat snap ik,' zegt haar moeder. 'Hij ís ook knap en hij is helemaal niet arrogant. Is dat geen jongen voor jou, Marit?'

'Waarom voor Marit?' vraagt Debby. 'Omdat ze twee jaar ouder is, zeker. Dat maakt Toine heus niet uit.'

'Het gaat er niet om dat je jonger bent. Ik denk alleen niet dat jij enige kans maakt,' zegt haar moeder. Ze kijkt Debby aan. 'Je zal eerst moeten veranderen. Altijd die streken van je, daar valt zo'n leuke jongen echt niet op. Ik meen het, Marit. Je moet weer eens langskomen op de tennisbaan, hij werkt er toch vrij vaak. Volgens mij is het echt jouw type. Ja liefje, als je met zo'n jongen aankomt, zou ik wel trots zijn.'

De rest van het gesprek hoort Debby niet meer. Ze denkt alleen maar aan haar moeders woorden. Als je met Toine aankomt, zou ik wel trots zijn. Dat is juist wat ze zo graag wil: dat haar moeder ook trots op haar is. Stel je voor dat ik met Toine aankom, denkt ze, dan is ze eindelijk trots op mij en dan gelooft ze niet meer alles wat Marit zegt.

Debby moet er voortdurend aan denken als ze op haar kamer zit. Wat zal haar moeder opkijken als zij verkering met Toine heeft. Eerst is het alleen maar een gedachte, maar het wordt steeds belangrijker voor haar. En ineens weet ze het. Ik móét Toine krijgen. In haar gedachten ziet ze zich al met hem thuiskomen. 'Ha mam, dit is mijn nieuwe vriendje.' Ze weet zeker dat haar moeder dan zou staan te kijken. En dan moest je Marit eens zien. Wat zou ze jaloers zijn. Dan zouden de rollen eens omgedraaid zijn, net goed. Moet ze haar maar niet altijd pesten. Ze weet wel hoe het komt dat haar zus zo gemeen tegen haar is. Marit is jaloers op haar omdat Debby veel beter kan leren. Alsof zij er wat aan kan doen dat Marit niet zo intelligent is.

Debby zucht. Ze wil Toine wel versieren, maar hoe pakt ze dat aan? Ze kan ook niet zomaar tijdens een repetitie van de schoolband de aula in stappen, dat willen ze helemaal niet. Ze denkt aan Kevin uit haar klas, die samen met Toine in de schoolband zit. Ze zoeken trouwens een zangeres, dat stond in de schoolkrant. Wist zij maar iemand, dan had ze een goede smoes om met Toine een gesprek aan te knopen. Kon ze maar via Kevin een ingang vinden, maar dat is ook geen optie. Ze heeft helemaal niet zoveel contact met Kevin. Wie wel? Kevin heeft het veel te druk met zijn BMX en zijn vriendengroepje.

Zijn vriendengroepje, dat is het! Ze moet zorgen dat ze daarin komt, dan is ze ook bij Kevin in de buurt. Maar hoe doet ze dat? Jordi zit ook in dat groepje en die mag haar niet. Het is een heel hecht groepje, ze laten je niet zomaar toe. Melissa ook niet. Debby denkt er de hele avond over. Zelfs onder het dansen gaat het af en toe door haar heen. Vlak voor ze gaat slapen krijgt ze een ingeving. Ze moet via Fleur het groepje in zien te komen. Fleur heeft een broer met wie ze heel *close* is. Als ze nou eens verkering met Fleurs broer Pieter neemt, dan laat Fleur haar heus wel toe. Geen echte verkering, natuurlijk. Als ze eenmaal tot het groepje is toegelaten, maakt ze het gewoon uit. Wat een goede zet, die Pieter! In zichzelf moet ze lachen. Ze weet nu al hoe ze het gaat aanpakken. Een fluitje van een cent, die sukkel pakt ze zo in.

Debby pakt haar dagboek en slaat het open: *Vandaag wilde mama me weer niet geloven, maar dat gaat veranderen. Over een poosje heb ik verkering met Toine. Mama vindt Toine geweldig en dan is ze eindelijk trots op mij...*

Debby staart voor zich uit. In gedachten hoort ze haar moeder ‘liefje’ zeggen en nou eens niet tegen Marit, maar tegen haar. *Als dat zo is... dan is mijn allergrootste wens in vervulling gegaan*, schrijft ze eronder.

2

Debby maakt er de volgende dag meteen werk van. Als haar hele klas na schooltijd naar huis is, blijft zij wachten. Klas 3a heeft nog een uur les, dat heeft ze op het rooster gezien. Ze gaat de stalling in en zoekt Pieters fiets op. Ze weet welke het is, omdat Fleur er laatst op naar school kwam toen haar ketting van haar eigen fiets was gelopen. Debby kijkt rond om te zien of er niemand aan komt. Als ze zeker weet dat de kust veilig is, laat ze Pieters voorband leeglopen. Het ventiel trekt ze eruit en gooit het in het putje. Ze kijkt op haar horloge. Dat duurt nog wel even voor die les is afgelopen. Ze gaat nog wat drinken in de aula. Tien minuten voor tijd zorgt ze dat ze weer in de stalling is. Ze blijft net zo lang bij haar fiets staan tot Pieter eraan komt.

'Shit!' hoort ze hem roepen.

Nu komt ze te voorschijn. '*Troubles*?'

'Dat kun je wel zeggen,' zegt Pieter. 'Een of ander ettertje heeft mijn band leeg laten lopen.'

'Pompje lenen?' vraagt Debby.

'Dat kan helaas niet. Het ventiel is ook weg. Of het moet hier nog ergens liggen.' Pieter kijkt rond. 'Lekker zeg,' moppert hij als hij het niet vindt. 'Dan kan ik dat hele pokke-eind lopen.'

'Ik kan je wel een lift geven,' zegt Debby.

Pieter kijkt haar verrast aan. 'Niet gek, zo'n aanbod sla ik niet af. Als je me even naar een fietsenmaker wilt brengen?'

'Bij het Kooltuintje is een fietsenmaker,' zegt Debby. Dat lijkt haar een goede plek, dan kunnen ze daar mooi iets drinken.

'Geweldig.' Pieter rijdt zijn fiets naar buiten. 'Zal ik fietsen?'

'Nee,' zegt Debby. 'Jij mag bij mij achterop.'

Terwijl Pieter zijn fiets vasthoudt, gaat hij bij Debby achterop zitten. Zo, denkt Debby blij, tot nu toe verloopt het helemaal volgens plan.

'Als we toch zo bij het Kooltuintje zijn,' zegt ze, 'dan kunnen we mooi even iets drinken.'

'Maar dan trakteer ik,' zegt Pieter. 'Want jij geeft mij al een lift.'

Bij het stoplicht kijkt Debby om. 'Zeker moeilijk hè, voor een macho om achterop te zitten bij een meisje.' Ze geeft Pieter een knipoog. Dat gaat goed, denkt ze als hij bloost.

'Tof van je dat ik mee mocht rijden,' zegt Pieter als ze bij het Kooltuintje zijn.

'Dat doe ik niet bij iedereen, hoor,' zegt Debby. 'Alleen bij aardige jongens.'

'Dank je wel.' Pieter zet zijn fiets op slot en loopt naar binnen.

'Wat wil je drinken?'

'Doe maar een colaatje,' zegt Debby.

'Ik heb zo'n mazzel dat jij er net stond,' zegt Pieter als ze hebben geproost. 'Anders had ik dat hele eind kunnen lopen en ik heb morgen een spreekbeurt.'

'Waarover?' vraagt Debby.

'Dat weet ik nog niet eens,' zegt Pieter gestrest. 'Erg hè? Dat wordt dus niks.'

'Mijn zus heeft net een superspreekbeurt gehouden over streetdance,' zegt Debby. 'Ze had een negen. Ik kan hem zo aan je doormailen.'

'Nou, dat is wel helemaal superservice,' zegt Pieter blij. 'Ik weet alleen niks over streetdance.'

'Als je hem één keer hebt gelezen, weet je alles,' verzekert Debby hem.

'Super!' roept Pieter. 'En eh... wat moet daar tegenover staan?'

'Eh...' Debby lacht geheimzinnig. 'Een kus misschien?'

Pieter bloost. 'In dat geval... Je meent het echt?'

Als Debby knikt, buigt Pieter zich naar haar toe. Hij drukt zijn lippen op haar mond. Debby duwt haar tong naar binnen.

'Nog een spreekbeurt?' vraagt ze even later. En dan zoenen ze weer.

Debby vindt er niet zo heel veel aan, maar ze weet waar ze het voor doet.

'Dit had ik vanochtend niet kunnen denken,' zegt Pieter. 'Een kus van jou, dat willen alle jongens wel, toch?'
'Maar ik wil niet iedereen.' Debby streelt met haar vinger over zijn kin.
'Ik vind je al heel lang leuk, maar het leek me zo lastig omdat Fleur bij mij in de klas zit.'
'Wat maakt dat nou uit?' zegt Pieter.
Je bent al aardig verliefd, denkt Debby, als ze ziet hoe hij naar haar kijkt. 'Goed dan,' zegt ze. 'Verkering?'
'Graag!' Pieter trekt haar naar zich toe en dan zoent hij haar weer.
'Bij die spreekbeurt hoort ook nog een cd'tje,' zegt Debby als ze uitgezoend zijn. 'Heel gave muziek. Die moet je wel hebben.'
'Ik wil het wel komen halen,' zegt Pieter.
Maar Debby gaat veel liever naar zíjn huis. Hoe eerder ze Fleur kan inpalmen, hoe beter. 'Welnee,' zegt ze. 'Ik kom het vanavond wel brengen.'

3

Debby loopt in haar kamer te ijsberen. Ze moet zo naar Pieter met de cd die bij de spreekbeurt hoort, maar die ligt op Marits kamer. Ze had gehoopt dat haar zus naar haar favoriete soap zou kijken, dan kon ze hem pakken. Maar ze is aan het msn'en en dat kan nog wel even duren. Wat moet ze nou? Als ze vraagt of ze de cd mag lenen, geeft haar zus hem vast niet. Ze zal Marit uit haar kamer moeten lokken. Er is maar één ding waar Marit van uit haar dak gaat en dat is een nummer van *Grease*. Die clip vindt ze helemaal te gek. Debby gaat de kamer in en vraagt het nummer aan bij The Box. Zodra het komt, zet ze de tv keihard.

'*Grease*!' Marit stuift de trap af. Terwijl haar zus bijna in de tv zit, schiet Debby naar boven, Marits kamer in. Waar ligt dat ding? Ze zoekt tussen de cd's. Als ze hem nog maar heeft, zo meteen is het nummer afgelopen! Ze kijkt op Marits bureau. Hebbes! Ze stopt de cd in haar zak.

Een half uur later belt Debby bij Pieter aan. Met een stralend gezicht doet hij open. Misschien was hij wel bang dat ik niet zou komen, denkt ze. Maar ik ben er hoor!

'Weet Fleur het al van ons?' vraagt ze.

'Nee,' zegt Pieter. 'Ik heb wel gezegd dat ik verkering heb, maar niet met wie. Het is een verrassing. Ze was supernieuwsgierig, ik had zo'n lol.'

Leuke verrassing, denkt Debby. Ze weet dat Fleur haar niet mag.

Pieter gaat Debby voor de trap op en wijst naar een roze deur. 'Daar is Fleurs kamer,' fluistert hij en hij maakt de deur open.

'Gefeliciteerd!' roept Fleur blij. Ze had duidelijk een ander verwacht, want ze schrikt zich dood als ze Debby ziet.

Debby doet alsof ze niks merkt. 'Hai,' zegt ze hartelijk, en ze kijkt heel geïnteresseerd Fleurs kamer rond. De muren hangen vol foto's van Gwen Stefani. Zelf is ze ook fan van haar, maar om nou je hele kamer ermee te behangen... Je kunt toch wel wat anders bedenken. En het knalblauwe dekbedovertrek vindt ze ook niet echt hip.

'Wat een te gekke kamer heb je,' zegt ze. Debby's oog valt op een cadeau dat Fleur in haar hand heeft. Zie je wel, denkt ze. Fleur dacht natuurlijk dat Pieter verkering met een van haar vriendinnen zou hebben. Als ze wist dat zij kwam, had ze echt geen cadeautje gekocht.

Ze doet net of ze het niet ziet, dan hoeft Fleur het niet te geven. Maar Pieter begint erover. 'Wat aardig, mijn zus heeft een cadeautje voor je.'

Sukkel, denkt Debby. Heb je dan helemaal niks door? Nee dus. Debby speelt gewoon mee. 'Hartstikke lief van je.' Ze merkt wel dat het Fleur moeite kost om het haar te geven, maar ze neemt het met een stralend gezicht aan.

'Een single van Relax. Die heb ik nog niet.'

Pieter neemt haar mee naar zijn kamer. Als ik maar niet de hele tijd moet zoenen, denkt Debby. 'Heb je de spreekbeurt al bekeken?'

'Top!' zegt Pieter. 'Ik denk dat ik voor het eerst een goed cijfer ga halen.'

'Deze cd hoort erbij,' zegt Debby. Pieter zet hem op. Debby begint meteen te dansen. Dan hoeft ze niet te schuifelen.

Vol bewondering kijkt Pieter naar haar. 'Wat een super dansmoves maak jij. Ik ga even iets te drinken halen. Cola?'

'Graag,' zegt Debby. Als Pieter weg is, zet ze de deur op een kier. Ze moet zien wat er gebeurt en ze gluurt de gang door. Zoiets dacht ze al: hij gaat langs Fleur. Hij wil weten hoe zijn zus haar vindt. Dat kon je wel verwachten, die twee zijn zo close. Ze hoort hem met z'n zus fluisteren. Helaas kan ze niet verstaan wat Fleur zegt, maar het klinkt niet echt positief. Er moet nog heel wat gebeuren voordat ik in dat groepje zit, denkt ze. Het is zonde om de hele avond op Pieters kamer te blijven, daar schiet ze niks mee op. Ze loopt naar hen toe.

'O, jullie zijn hier!' Ze werpt een blik op Fleurs bureau en dan ziet ze haar wiskundeschrift open liggen.

'Je gaat niet al die vreselijke sommen maken, hè? Dat kost je uren. Doe weg, ik heb ze al af. Ik mail ze straks wel naar je.' Ze heeft er nog niet één af, maar daar kan ze wel aan komen. Carola, die studiebol, is altijd bang voor haar. Eén sms'je en ze heeft de sommen op haar mail.

Yes! denkt Debby als Fleur ontdooit. Dit is nog maar het begin. Ze heeft nog meer pijlen op haar boog.

'Weet je dat Gwen Stefani naar Nederland komt?' zegt ze. Er gebeurt precies wat ze had gehoopt. Fleur begint over de prijs van het kaartje te zeuren. Ze vindt veertig euro zo veel.

'Ik weet het, maar mijn oom kent iemand van de organisatie,' zegt Debby gauw. 'Ik krijg waarschijnlijk vette korting. Zal ik voor jou ook een kaartje bestellen?' Ze moet stiekem lachen. Fleur denkt zeker dat ze met haar naar het concert wil. No way! Maar dat ziet ze dan wel weer. Als ze eerst maar in het groepje zit. Ze scoort er wel mee.

'Super!' roept Fleur.

Het is gelukt, denkt Debby als ze ziet hoe Fleur naar haar broer kijkt. Nog een paar van haar briljante *moves* en het is voor elkaar.

4

'Jij moet morgenochtend Marit wekken,' zegt haar moeder als Debby welterusten komt zeggen. 'Ik heb er geen tijd voor.'

'Ze kan haar mobiel toch zetten?' zegt Debby.

'Nee, daar slaapt Marit dwars doorheen. Die slaapt zo vast. Dus ik kan op je rekenen?'

Debby knikt. Ze geeft haar moeder een nachtzoen en gaat naar boven.

'Ik maak je morgenochtend wel wakker,' zegt ze als haar zus de badkamer in komt.

'Pas als je weggaat, hoor,' zegt Marit. 'Ik heb het eerste uur vrij.'

Goed dat ze dat zegt. Anders had ze echt om kwart over zeven naast haar bed gestaan.

Debby kleedt zich uit en stapt haar bed in.

Tevreden staart ze in het donker. Tot nu toe heeft ze alles onder controle. Het ging vanavond precies zoals ze had voorspeld. Carola stuurde meteen een mail met de sommen na haar sms'je. Ze heeft hem onmiddellijk doorgestuurd naar Fleur. Dat moet ook, want in dit stadium mag ze geen fouten maken. Met Pieter gaat het ook volgens plan. Ze hebben net nog even gezoend. Debby grijnst. Hij begint wel heel verliefd te worden. Als het zo doorgaat, moet ze hem een beetje temperen.

Debby denkt meteen aan het vriendengroepje als ze 's morgens wakker wordt. Ze hoopt zo dat Fleur een goed woordje voor haar doet. Als ze straks op school komt, zal ze het wel merken. Ze vindt het ook wel stoer tegenover Anita en Kelly. Eerst zat ze in hun groepje, maar ze hebben haar eruit gekickt. Ze had ruzie met Kelly en toen heeft ze op hiphopdansles verteld dat Kelly een lesbo was. Een paar meiden hebben Kelly toen lid gemaakt van de *Gaykrant*. Alsof zij daar wat aan kan doen. Iedereen zegt toch weleens iets. Nou, ze kon meteen ophoepelen.

Debby heeft net ontbeten als haar moeder uit haar werkkamer komt.

'Ziezo,' zegt ze opgelucht. 'Ik ben helemaal klaar voor ons overleg. Om zes uur was ik al op. Ik moest nog het een en ander regelen. Is Marit al weg?'

'Nee,' zegt Debby. 'Die slaapt nog.'

Haar moeder kijkt haar ontzet aan. 'En jij zou haar roepen?'

Debby wil zeggen dat Marit het eerst uur vrij heeft, maar haar zus komt krijsend de trap af.

'Waarom heeft niemand me wakker gemaakt? Nu kom ik te laat. Ik heb het eerste uur een proefwerk. Als ik te laat kom, krijg ik een onvoldoende.'

'En je had het eerst uur vrij?' vraagt Debby.

'Heb ik dat gezegd? Echt niet,' zegt Marit. 'Je hebt me gewoon laten liggen.'

'Waarom doe je dat nou weer?' zegt hun moeder. 'Ik heb het je nog zo gevraagd!'

'Marit zei tegen mij dat ze vrij had,' zegt Debby. 'Echt een rotstreek, nou krijg ik zeker de schuld?'

'Natuurlijk krijg je de schuld,' zegt hun moeder. 'Zeg dan eerlijk dat je het vergeten bent. Ik word doodziek van dat gelieg. Je vader loog me ook altijd voor.'

'Ja hoor, zeg maar weer dat ik op papa lijk! Ik lieg helemaal niet!' Debby pakt haar rugtas, rukt haar jas van de kapstok en loopt naar de deur.

'Rustig maar, liefje,' hoort ze haar moeder tegen Marit zeggen. 'Je redt het nog wel. Ik maak je brood wel klaar.'

Debby loopt naar buiten en smijt de deur met een klap dicht. Ze is woedend op Marit. Die trut verpest altijd alles voor haar. Wacht maar, zusje, denkt ze. Als ik met Toine ga, dan wordt alles anders...

Fleur moet meteen een goed woordje voor Debby hebben gedaan, want de volgende dag vragen ze haar al mee naar het Kooltuintje. En na een week verkering met Pieter hoort ze er al echt bij. Als Fleur zou weten dat het haar om Toine te doen is, had ze haar nooit toegelaten. Fleur heeft het al vanaf de brugklas over Toine. Ze is smoorverliefd op hem, maar Debby weet dat ze geen enkele kans maakt.

Alleen Jordi is het er nog steeds niet mee eens dat ze in het vriendengroepje zit, dat merkt ze wel. Troost je, denkt ze, het is maar tijdelijk. Zodra ik verkering met Toine heb, heb ik dat slome groepje van jullie niet meer nodig. Fleur en Kevin vindt ze nog wel leuk, maar Jordi en Melissa mag ze niet. Melissa zit ook op hiphopdansles, net als zij, maar gelukkig op de dinsdagavond. Zelf gaat ze altijd op woensdag. Daar heeft ze nu mooi geluk mee. Ze hoorde de laatste keer dat er waarschijnlijk een choreograaf komt kijken die een paar dansers nodig heeft voor een videoclip. Hij komt alleen op woensdagavond. Heeft Melissa even pech! Zij is niet van plan iets te zeggen. Ze kijkt wel uit. Stel je voor dat ze haar uitkiezen, dan komt ze in een videoclip. Dat zou Toine vast stoer vinden!

5

Debby staat met het groepje op het schoolplein.

'Is het nog gelukt?' vraagt Fleur als Melissa bij hen komt staan.

'Wat is er gelukt?' vraagt Debby.

'Ik ga in het vervolg ook op woensdagavond naar hiphopdansles,' zegt Melissa.

Debby denkt meteen aan de videoclip. 'Als ik jou was, zou ik dat nooit doen,' zegt ze. 'Die groep waar jij in zit, is veel toffer.'

'Echt?'

'Er zit bij ons een gast die het voor iedereen verpest,' zegt Debby. 'Erg hoor. Zelfs ík denk erover om over te stappen naar de dinsdag.'

'Hè bah,' zegt Melissa. 'Wat doet hij dan?'

'Hij fokt iedereen op.' Debby weet hoe onzeker Melissa is. 'Bijna niemand durft meer te dansen,' zegt ze. 'Hij zet je zo voor paal.'

'Nou, dan blijf ik misschien toch maar op de dinsdag.' Melissa zucht.

'Natuurlijk niet!' roept Fleur.

'Nee,' zegt Jordi. 'Dat lijkt mij nou ook stom. Je zei dat je vader wilde komen kijken?'

Ze weten allemaal dat Melissa stiekem op hiphopdansles zit. Haar vader is heel streng. Hij denkt dat ze op klassiek ballet zit. Maar nu heeft hij gezegd dat hij een keer wil komen kijken.

'Als je pa echt binnenstapt, kun je nooit meer hiphoppen,' zegt Fleur.

'Dat niet alleen,' zegt Jordi. 'Dan heb je minstens een maand huisarrest omdat je hebt gelogen. Nooit doen dus, dan maar een groepje met een eikel erin.'

'Op woensdagavond kan je vader toch ook ineens komen kijken?' probeert Debby nog.

'Nee,' zegt Melissa. 'Dan bridget hij.'

Debby baalt ervan. Ze had Melissa bijna zover dat ze het niet deed. Waar bemoeien die twee zich ook mee. En moet je Fleur nou weer naar Toine zien kijken. Dat houdt ook nooit op. Ze zal wel schrikken als zij ineens verkering met hem heeft.

Pieter komt aanlopen. Hij geeft Debby een kus in haar nek. Daar staat haar hoofd nou helemaal niet naar. Het wordt tijd dat het uit gaat. Ze zit nu toch in het vriendengroepje, dus het kan best. Gisteravond legde Pieter zijn hand op haar borst. Straks wil hij nog met haar vrijen. Daar heeft ze echt geen zin in. Ze vindt hem niet sexy genoeg. Een beetje zoenen gaat nog wel, maar de rest...

Ze heeft liever dat hij het uitmaakt, anders wordt Fleur misschien kwaad op haar. Ze heeft er al wat op bedacht.

'Hai schatje,' zegt ze poeslief.

'De jongens gaan vanmiddag zwemmen,' zegt Pieter.

En jij wilt natuurlijk mee, denkt Debby. Maar dat gaat mooi niet door. 'Wij zouden toch een dvd'tje kijken?' zegt ze. 'Ik verheug me er zo op.'

'Ja, eh... dat is ook zo,' zegt Pieter. 'Enne... Tom wil hem ook graag zien.'

'Hè nee!' zegt Debby. 'Alleen wij tweetjes.' Ze trekt hem naar zich toe. 'Lekker romantisch. En morgen moet je ook vrijhouden, want dan heb ik een verrassing voor je.'

Lekker plakken, denkt ze. Dat weet ze van jongens. Als je ze verstikt, haken ze vanzelf af.

O ja, mijn dvd, denkt Debby als ze 's morgens haar tas inpakt. Ze gaat hem vanmiddag met Pieter bekijken. Een echte meidenfilm, zij verveelde zich er al bij, laat staan wat Pieter ervan vindt. Als ze zo doorgaat, zal de verkering wel niet zo lang meer duren. Elke dag claimt ze Pieter. Ze merkt al een paar dagen dat hij er een beetje genoeg van krijgt.

Als ze beneden komt is Marit al klaar met ontbijten. 'Ik ga,' zegt ze. 'Sofie zou voor schooltijd nog iets uitleggen.'

'Dus dan zie ik je vanmiddag om vier uur op de tennisbaan,' zegt hun moeder.

'Ga je tennissen?' vraagt Debby.

'Dat gaat jou niks aan,' zegt Marit.

'Ik heb op het rooster gezien dat Toine vanmiddag achter de bar werkt,' vertelt haar moeder als Marit weg is. 'Een heel mooie gelegenheid voor Marit om hem te ontmoeten.'

'Gaat ze dat zomaar doen?' vraagt Debby geschrokken. 'Ze kent hem helemaal niet.'

'Een keer moet de eerste keer zijn,' zegt haar moeder met een glimlach. 'Ik help haar wel een beetje. Er rolt vast een afspraakje uit, laat dat maar aan mij over.'

Debby heeft meteen geen trek meer. Straks heeft Marit verkering met Toine, dan is alles voor niks geweest. Somber staart ze voor zich uit. Haar moeder zal nooit trots op haar zijn, alleen op Marit. Haar enige kans om liefde en aandacht te krijgen, is verkeken.

Ze heeft nergens meer zin in, en helemaal niet om naar school te gaan. Vandaag moet niemand iets verkeerds tegen haar zeggen. Helemaal niemand, en Pieter al helemaal niet, want dan is het meteen uit.

Ook dat nog! denkt Debby als ze het schoolplein oprijdt en Kevin een of andere show op zijn BMX geeft. Kleutergedoe. Ze krijgt zin om een rotopmerking te maken, maar helaas schiet haar niks te binnen.

'Ik doe mee aan een show,' vertelt Kevin. 'Het wordt helemaal te gek. Allemaal gasten op hun BMX. Jullie moeten komen kijken.'

Welja, denkt Debby. Dat doe ik, nou goed? Dan kun je lang wachten. Maar de anderen zijn wel van plan om te gaan. Jordi vraagt zelfs wanneer het is.

'Volgende maand, op de 26ste,' zegt Kevin trots.

'Dan kunnen wij niet.' Fleur kijkt haar stralend aan. 'Toch, Debby? Dan gaan wij naar het concert.'

Donder op met je concert, denkt Debby. Maar ze doet net of ze schrikt. 'Mijn oom kreeg geen kaartje meer. Ik ben het je helemaal vergeten te zeggen. Wat stom! Je had mijn kaartje wel mogen hebben, maar dat kan ik niet maken. Ik moet met mijn nichtje, dat heb ik mijn tante beloofd.'

Ga nu maar lekker flippen omdat je niet naar je concert kan, denkt ze. Ze ziet Fleur weglopen met haar mobiel aan haar oor. Die is natuurlijk meteen het Uitbureau aan het bellen. Aanstelster, denkt Debby. Je hebt alles, een lieve moeder, een broer met wie je heel goed kunt opschieten. Nu nog een beetje zeuren omdat je niet naar een concert kan. Wat erg voor je.

Als Fleur een beetje is gekalmeerd, komt ze weer terug naar het groepje.

'Hoor je dat?' zegt Melissa als Fleur haar mobiel opbergt. 'Fleur kan niet naar het concert.'

Debby heeft zin om te gillen. Weet je wat ik niet kan? Ik kan nooit een moeder hebben die trots op me is! Weet je wel wat het betekent als je moeder alleen je zus ziet staan, omdat je op je vader lijkt? Had ik maar zulke ouders als Fleur, dan kon dat hele concert me gestolen worden, wil ze roepen. Maar ze houdt zich in.

'Ik vind het zo erg voor haar,' zegt ze schijnheilig. Voordat ze uit haar rol kan vallen, loopt ze door.

6

Als Debby 's middags de kamerdeur opendoet, hangt Marit met een kwaad hoofd voor de televisie. Haar moeder zit naast haar op de bank. De spanning is om te snijden.

'Je hoeft niet zo onaardig tegen me te doen,' hoort Debby haar moeder tegen Marit zeggen.

'O nee? Het was jóúw idee,' zegt Marit kwaad. 'Van jou moest ik zo nodig naar de tennisbaan komen. Hij zag me niet eens staan!'

'Dat kon ik toch niet weten?' zegt haar moeder.

'Nee.' Marits stem slaat over. 'Dat kon je ook niet weten, maar dan had je ook je mond moeten houden!'

'Ik heb alleen maar een visje uitgegooid om samen naar de film te gaan,' zegt haar moeder.

'Hoezo een visje uitgegooid? Je zei gewoon dat we samen naar de film moesten.' Marit tikt op haar voorhoofd. 'Wie doet dat nou? Toen moest hij nog een smoes verzinnen ook. Lekker voor mij. Wat een afgang!' En dan begint ze te huilen. 'Ik stond hartstikke voor paal...'

Haar moeder slaat een arm om haar heen. 'Sorry,' zegt ze. 'Zo heb ik het niet bedoeld.'

Yes! denkt Debby. Ze loopt de trap op naar boven. In haar kamer slaat ze haar dagboek open en pakt een pen.

Ik heb nog een kans! schrijft ze. *Misschien komt mijn droom toch nog uit...*

De volgende dag wacht Debby Pieter na schooltijd buiten op. Pieter schrikt als hij haar ziet. 'Ik ga basketballen met de jongens,' zegt hij.

Debby slaat een arm om hem heen. 'Nee, je zou mij helpen met mijn samenvatting, weet je nog?'

'Toch niet vanmiddag?' vraagt Pieter.

'Jawel,' zegt Debby. 'Dat heb je beloofd.'

'Wat stom van me,' zegt Pieter. 'Ik herinner me er niks van. Sorry, ik help je vanavond wel.'

'Dan kan ik niet,' zegt Debby. 'Je wilt toch niet dat ik een onvoldoende haal?'

Ze ziet dat Pieter geïrriteerd is. Krijg het maar lekker benauwd, denkt ze. Ze hoopt niet dat hij dit tegen Fleur vertelt, want ze hoeven morgen helemaal geen samenvatting in te leveren.

'Oké,' zegt Pieter. 'Als ik het heb beloofd, dan moet ik de jongens maar afzeggen. Een momentje.' En hij loopt naar zijn vrienden toe.

Debby ziet dat ze hem in de maling nemen, maar dat vindt ze alleen maar goed. Het blijft het beste dat Pieter het uitmaakt. Dan heeft Fleur tenminste medelijden met haar. Als zij het uitmaakt, heeft ze kans dat ze haar toch nog uit het groepje gooien.

Even later fietst Debby samen met Pieter naar zijn huis.

Ze lopen net het tuinhek door als de buurman komt aanrijden.

'Ha, Pieter,' zegt hij.

'Hoi,' zegt Pieter. 'Het was wel een goede mop, hè?'

'Wat bedoel je?' vraagt de buurman.

'Nou, vorige week, met Fleur. Ze zei dat jij dacht dat ze zelf zong. Dat heb je hè, als je in de platenbusiness zit.'

De buurman lacht. 'Het klonk prachtig.'

'Gwen Stefani zingt ook mooi,' zegt Pieter. 'Die hoor je vast liever dan mijn zus. Ik moet er elke ochtend naar luisteren als ze onder de douche staat. Vals dat ze zingt! Ik ken echt niemand die zo vals zingt als Fleur. Nou, dan ben je meteen wakker, hoor.'

'Dus haar hoef ik niet te contracteren?' zegt de buurman.

'Nee,' zegt Pieter. 'Er valt echt niks aan haar stem te verdienen. Alleen als je iedereen weg wilt jagen, misschien.'

'Nou, mooie boel. Denk ik nieuw talent te hebben gevonden, is het weer niks. *That's life*, zullen we maar zeggen.' De buurman loopt lachend naar binnen.

'Zingt Fleur echt zo vals?' vraagt Debby als ze naar boven lopen.
'Hou op,' zegt Pieter. 'Het is niet om aan te horen.'
En die heeft het altijd over Toine, denkt Debby. Dan ben je toch gestoord? Toine zit echt niet op iemand te wachten die vals zingt. Dat wil je toch niet als je zelf in een band speelt? Het is goed dat ze het weet. Mocht Fleur Toine proberen te versieren, dan kan ze dit altijd nog tegen haar gebruiken.

Het is alweer woensdag. Vanavond komt de choreograaf bij hiphopdansles. Debby vindt het zo spannend. Ze schrijft er net over in haar dagboek, als haar gsm afgaat. Op het display ziet ze dat het Pieter is. Wat moet die sukkel nou weer?
'Hi Honey!' roept ze.
'Hai,' zegt Pieter. Zijn stem klinkt timide. 'Ik wil iets met je bespreken. Is het goed als ik langskom?'
Hij gaat het vast uitmaken, denkt Debby. Eigenlijk wilde ze straks naar de tennisbaan om te kijken of Toine achter de bar staat, maar hier blijft ze wel voor thuis.
'Oké,' zegt ze. 'Tot zo.'
Ze schrijft het meteen in haar dagboek. *Wat een geluk, Pieter gaat het uitmaken. Eindelijk...* Maar dan twijfelt ze ineens. Is ze niet te voorbarig? Het kan ook dat hij iets anders wil bespreken. Misschien wil hij wel met haar vrijen. Nee, hè? Debby zuigt op de achterkant van haar pen. Daar moet ze dus echt niet een denken. Ze is blij als de bel gaat.
'Hai darling!' Ze geeft Pieter expres een heel lieve kus. Pieter loopt achter haar aan de trap op. Hij gaat het uitmaken. Nu weet ze het zeker. Hij is alleen doodsbang om het te zeggen. Debby moet er stiekem om lachen. Moet je hem nou zien staan. Zeg het nou maar, sukkeltje, denkt ze. Pieter woelt van de stress door zijn haar.
'Wil je iets drinken?' vraagt ze.
'Nee eh... ik zeg het maar liever meteen,' begint Pieter. 'Ik eh... nou ja, ik vind je heel lief, het ligt echt niet aan jou, maar ik wil weer vrij zijn.'

Debby kan hem wel om zijn nek vallen van blijdschap, maar ze blijft in haar rol en doet net of ze schrikt.

'Vind je het heel erg?' vraagt Pieter als ze haar ogen neerslaat.

Debby kijkt hem aan. 'Best wel,' zegt ze. 'Maar ik verwachtte het wel een beetje. Ik merkte de laatste tijd dat er iets was.'

'Ik liep er de hele week al mee,' zegt Pieter. 'Ik werd er zo benauwd van.'

'Dat snap ik wel,' zegt Debby. 'Je zit toch vast als je verkering hebt, daar moet je tegen kunnen.'

'Dus je bent niet boos op me?' vraagt Pieter opgelucht.

Je moest eens weten hoe blij ik ben, denkt ze. 'Nee, natuurlijk niet,' zegt ze. 'Als je het benauwd krijgt, dan moet het uit. We kunnen toch vrienden blijven?'

'Lief van je,' zegt Pieter. 'Natuurlijk blijven we vrienden. Echt tof.'

'Dan zijn we vanaf nu gewoon vrienden.' Debby geeft hem een kus.

'Nou eh, dan ga ik maar,' zegt Pieter.

Debby merkt dat er kilo's van hem zijn afgevallen.

Vertel nu maar aan Fleur hoe lief ik reageerde, denkt ze als ze de deur achter hem dichtdoet. Heb ik je lieve broertje niet goed behandeld? Ze weet zeker dat Fleur haar nu nooit meer uit het groepje zal gooien.

Debby zet haar fiets voor de kantine van de tennisbaan. Zo, denkt ze. Het project Toine kan beginnen. Ze moet toch een keer van start gaan. Hier op de tennisbaan ziet niemand haar, dat lijkt haar beter dan op school. Ze gluurt naar binnen. Ja hoor, hij maakt net een espresso voor een jongen die aan de bar zit. Ze loopt ernaartoe.

'Hai,' zegt ze.

Toine kijkt op. 'Ik wist niet dat jij hier tennist,' zegt hij verbaasd.

'Mijn moeder tennist hier,' zegt Debby. 'Ik keek even of ze er was.'

'Ik heb haar niet gezien,' zegt Toine.
'Bevalt je baantje een beetje?' vraagt Debby.
Toine lacht. 'Er zijn leukere dingen.'
'Drummen zeker?' Debby lacht er heel lief bij.
Toine knikt.
'Ik kom misschien in een videoclip,' zegt Debby. 'Vanavond tijdens hiphopdansles komt er een choreograaf bij ons kijken.'
'Gaaf!' zegt Toine, maar dan begint hij opeens tegen de jongen te praten.
Dat doe je expres, denkt Debby. Je bent verlegen. Een heel goed teken. Toen ze laatst iets tegen hem zei in de aula, begon hij ook gauw tegen een ander.
'Bye!' zegt Debby en ze loopt weg.
'Succes!' zegt Toine nog.
'Dank je.' Debby geeft hem een knipoog.
Opgewonden zit ze op de fiets. Marit zag hij niet staan, maar haar wel. Het moet lukken. Ze schrijft het meteen in haar dagboek als ze thuiskomt.
Het liefst zou ze het nu al tegen haar moeder vertellen. Maar ze kan beter nog even geduld hebben. Het moet een verrassing zijn. Ineens, heel onverwacht, komt ze met Toine thuis, dan komt het echt aan.
'O ja,' zegt haar moeder onder het eten tegen Marit. 'Vanochtend op de tennisbaan heb ik Toines moeder gesproken.'
'Je hebt toch niks gezegd, hè?' zegt Marit. 'Ik schaam me nog steeds dood voor die blooper.'
'Natuurlijk heb ik niks gezegd,' zegt haar moeder. 'Maar het lag echt niet aan jou, meisje, dat hij geen oog voor je had. Volgens Sjanna is Toine al een tijdje verliefd.'
Help! Debby verslikt zich bijna in haar spaghetti. Dat zou mooi balen zijn!
'Op een meisje van school,' zegt hun moeder erachteraan.
Nu gaat er een schok door Debby heen. Ze denkt aan vanmiddag. Hij was echt verlegen. Dat meisje van school ben ik, denkt ze. Toine is verliefd op mij!

7

Na het bericht van haar moeder kan Debby's avond niet meer stuk. Fluitend zit ze op de fiets. Vanaf nu komt alles goed, denkt ze. Wedden dat ik zo meteen ook nog een rol in de clip krijg?

Dat is ook zo: Melissa komt vanavond ook, dat was ze helemaal vergeten. Ze heeft haar expres niets over de clip verteld. Wat gaat het haar aan? Melissa wordt toch niet uitgekozen, daar is ze veel te schijterig voor. Debby denkt terug aan het schoolfeest. Melissa durfde daar niet eens voluit te dansen, wat wil ze dan in een clip? Melissa heeft het er altijd over dat ze danseres wil worden. Nou, die droom is na vanavond vast wel voorbij.

Meestal blijft Debby nog even kletsen als ze de dansschool inkomt, maar nu gaat ze meteen door naar de kleedkamer en ze kleedt zich supersnel om. Als Melissa dan zo komt is zij al klaar, anders moet ze haar zeker nog aan iedereen voorstellen ook, daar heeft ze echt geen zin in.

Debby ziet het meteen aan de manier waarop Melissa binnenloopt. Ze is hartstikke verlegen.

'Ik zie je zo!' Debby loopt de kleedkamer uit. Hoe Melissa daar stond! Er verschijnt een vals lachje om Debby's mond. Melissa voelde zich echt opgelaten tussen al die vreemden. Eigen schuld, denkt Debby. Je moest toch zelf zo nodig naar de woensdagavond? Nou, dan zoek je het maar uit ook. Ik heb je vantevoren gewaarschuwd.

De choreograaf is er al als ze de danszaal inkomt. Debby lacht heel lief naar hem. Hè hè, denkt ze als Melissa de zaal inloopt. Ben je er eindelijk? Melissa wil naar haar toe komen, maar er is geen tijd meer voor een praatje. De muziek begint al. Debby swingt heerlijk. Ze gaat er zo in op, dat ze Melissa helemaal vergeet, tot ze ineens naast haar danst.

'Wat doet die man hier?' vraagt Melissa.

Dat is mijn verkering, nou goed! denkt Debby.

'Heb je het niet gehoord?' zegt ze heel schijnheilig. 'Hij is choreograaf en zoekt dansers voor een videoclip.' Debby kijkt met leedvermaak naar Melissa. Ze valt nu al bijna flauw van de stress en er is nog niks aan de hand. Ja hoor, jij moet echt in een clip gaan dansen, denkt ze.

Terwijl ze dansen staat de choreograaf op. Debby voelt zijn blik op haar gericht. Ze raakt er echt niet van in de war, ze weet dat ze goed danst. Ze had het al verwacht, hij blijft voor haar staan.

'Hoe heet je?' vraagt hij.

'Debby.'

'Je mag meedoen aan de auditie.'

Top! Debby denkt meteen aan Toine. Ze kan de choreograaf wel om zijn nek vallen, maar ze blijft rustig. Hij loopt alweer door als ze zich ineens afvraagt van wie de clip eigenlijk is.

'Meneer,' zegt ze, 'van wie is-ie?'

'Wat?' vraagt de choreograaf.

'De videoclip, van welke artiest?'

'Heb ik dat nog niet verteld?'

'Nee,' zegt Debby.

'Het gaat om een clip van Brainpower.'

'Wauw!' Debby gilt van opwinding. Brainpower rapt super! Ze ziet dat Melissa haar duim naar haar opsteekt, maar ze reageert er niet op. Wat moet ze nog met Melissa? Trouwens, wat moet ze met iedereen hier? Zij is echt de beste, ze is uitgekozen! Ze heeft geen zin meer om naar het gestuntel van de anderen te kijken. Ze hoeft niet te zien hoe Melissa afgaat. Ze loopt naar het raam en kijkt naar buiten. In het raam ziet ze dat de choreograaf Melissa's kant op loopt. Nu wordt ze toch wel nieuwsgierig. Misschien zegt hij tegen Melissa dat ze er totaal niet geschikt voor is om in een clip te dansen.

Vlak voor Melissa blijft de choreograaf staan. Debby hoort dat hij iets over Melissa's gezicht zegt, dat het de aandacht trekt, en dat daarom niemand meer naar haar dans kijkt. Nou, daar ben je mooi klaar mee, denkt ze. Dan hebben ze dus niks aan je. Waar gaat het nou om? Om hoe je danst, natuurlijk.

Nee hè, denkt Debby als Melissa bijna moet huilen. Hoe kon je nou ook denken dat je uitgekozen zou worden?

Debby verwacht dat de choreograaf doorloopt, maar hij is nog niet uitgepraat. 'Dus je begrijpt dat ik aarzel,' gaat hij verder. En dan begint hij opeens over haar bewegingen te praten, die toch wel goed waren. Wat bedoelt hij nou? 'Melissa, je mag meedoen,' hoort ze hem ten slotte zeggen. Debby vindt het belachelijk. Waarom aarzelde je dan eerst? denkt ze. Melissa mag dus meedoen aan de auditie. Ze kan het niet geloven. Maar als ze Melissa's stralende gezicht ziet, weet ze dat het waar is.

Samen met Melissa loopt Debby na de les door de gang. Ze ergert zich. Melissa probeert Jordi en Fleur te bellen. Stel je niet zo aan, denkt ze. Je mag nou wel meedoen aan de auditie, maar je wordt toch afgewezen. Tot overmaat van ramp slaat Melissa nog een arm om haar heen ook.

'Ik ben zo gelukkig,' zegt ze steeds maar. Zo gelukkig hoef je echt niet te zijn, denkt Debby. Zo enthousiast was hij niet over je. Heb je dat nou helemaal niet door? Hij zei nog wel dat je bewegingen niet los waren. Ze kan de euforie van Melissa niet uitstaan.

'Ik ben blij dat hij niet tegen mij zei dat ik stijf dans,' zegt ze. 'Dan zou ik tot vrijdag geen oog dichtdoen.'

Hèhè, dat komt aan, het zou ook tijd worden. De klap komt vrijdag toch. Debby ziet weer voor zich hoe de choreograaf op haar reageerde. Hij aarzelde geen moment. Zij hoeft zich geen zorgen te maken. Die clip heeft ze in *the pocket*.

8

Welja, denkt Debby de volgende dag, als iedereen begint te juichen wanneer Melissa het schoolplein opkomt. Wat is er nou zo geweldig? Dat ze auditie mag doen? Vraag haar maar eens hoe het is gegaan, want dat vertelt ze niet. Debby vindt Melissa een aandachttrekster. Eerst kregen ze steeds te horen hoe graag ze danseres wilde worden. En nu heeft ze het er weer over hoe eng ze het vindt om auditie te doen. Wat zijn we zielig... Dat gezeur over haar ouders is ze ook zat. Melissa's vader is hartstikke streng, maar daar hoef je toch niet zielig over te doen. Had zij maar een vader. Haar vader woont helemaal in LA. Na de scheiding heeft ze nooit meer iets van hem gehoord. Nee, zij heeft het getroffen, nou goed? Vanochtend kreeg ze van haar moeder weer ergens de schuld van terwijl ze van niks wist. Alsof dat zo fijn is, maar daar hoor je haar niet over. Eigenlijk weet niemand het. Ze wil er ook niet over praten, omdat ze zich ervoor schaamt.

Waar ze nog het meest van baalt, is dat Toine een eindje verderop staat. Hij dacht natuurlijk dat zij de enige was die auditie deed voor de clip, maar nu weet hij dat Melissa ook meedeed. Terwijl het niet eens klopt. Gisteravond in bed lag ze er heel lang over na te denken hoe het nou precies was gegaan en toen wist ze het ineens. Melissa is alleen maar uitgenodigd voor de auditie omdat de choreograaf medelijden met haar had. Eerst begon hij haar af te branden, maar toen hij zag dat Melissa bijna moest huilen maakte hij het gauw goed. Hoe krijgt ze het weer voor elkaar! Debby weet ook niet waarom hij erin trapte. Hij heeft dus een zwak voor Melissa. Misschien lijkt ze wel op zijn dochter, dat kan toch? Maar hij helpt haar er niet mee, want vrijdag komt de klap nog veel harder aan. Ineens schrikt ze. Stel je voor dat Melissa vrijdag weer een of andere scène maakt en hij weer helemaal week wordt, dan neemt hij haar misschien nog aan ook!

Voor de wiskundeles loopt Debby door de gang, vlak achter Fleur. Ineens blijft Fleur staan. Debby botst bijna tegen haar op. Wat is dit nou weer voor actie? Maar dan ziet Debby dat Toine eraan komt. Hé, hij heeft zijn haar gebleekt! Ze vindt dat het hem echt gaaf staat. Als ze niet oppast, wordt ze nog echt verliefd op hem. Kevin kijkt net haar kant op. Als hij maar niet heeft gezien dat ze naar Toine keek. Kevin hoeft niet te weten wat ze van plan is.

'Toine heeft zijn haar gebleekt,' zegt ze gauw. 'Dat staat hem dus echt niet.' Ze zegt het zo hard, dat Kevin het wel moet horen.

Ja hoor, dat had ze wel gedacht. Fleur neemt het meteen voor Toine op. 'Juist wel,' zegt ze. 'Wat een kanjer.'

'Wordt het niet eens tijd dat je een move maakt,' zegt Melissa. 'Je praat al weken nergens anders over.'

Hè ja, denkt Debby. Dan krijgen we zeker ook nog dat Fleur achter Toine aan gaat, daar heb ik dus helemaal geen zin in. 'Dat zou ik dus nooit doen,' zegt ze gauw.

'Waarom niet?' vraagt Melissa.

O, zij moet zich er ook weer mee bemoeien, denkt Debby. 'Grote kans dat hij haar afwijst,' zegt Debby.

'Hoe kom je daar nou bij?' Melissa draait Debby's hoofd Toines kant op. Als Debby ziet dat Toine inderdaad naar Fleur kijkt, verbijt ze zich.

'Wie zegt dat hij op Fleur valt?' zegt ze koel. 'Toine flirt met iedereen.'

Het komt goed uit dat ik m'n lage truitje aan heb,. denkt Debby. En ze trekt het nog meer naar beneden. Zo, dat is wel wat anders dan die erwten op een plankje van Fleur, denkt ze.

Maar dan hoort ze dat Fleur Toine groet. En Toine groet terug! Shit! denkt Debby. Ze wordt rood van woede. Wat moet jíj met Toine?

Fleur heeft totaal niet in de gaten dat Debby woedend is. Van blijdschap valt ze Melissa om de hals. 'Hij is zo knap!'

'Ja, te knap voor jou,' zegt Debby.

9

Meestal blijft Debby nog even op het schoolplein hangen na het laatste uur, maar nu fietst ze woedend naar huis. Fleur heeft een afspraakje met Toine. Ze kan aan niets anders denken. Fleur heeft gevraagd of hij een keer met haar naar de bioscoop wil, en hij doet het nog ook! Terwijl Debby door de stad rijdt, gaat er van alles door haar hoofd. Zo meteen krijgen die twee nog echt verkering en wat moet zij dan? Als ze thuiskomt, is ze zo kwaad dat ze regelrecht naar haar kamer gaat. Shit! Ze geeft van ellende een trap tegen haar bureau. Heeft ze daarvoor verkering met Pieter genomen? Ze heeft Fleur nog proberen tegen te houden, maar het lukte niet. En het is allemaal de schuld van Melissa! 'Ga dan naar hem toe...' spoorde Melissa Fleur aan. 'Je zou actie ondernemen.' En Fleur deed het ook nog. Die doet altijd wat Melissa zegt. Melissa is heilig voor Fleur. Nou, voor haar niet. De trut. Had ze haar mond maar gehouden. Waar bemoeit ze zich mee? Ze haat Melissa. Melissa moest ook zo nodig samen met Jordi een kaartje voor het concert van Gwen Stefani voor Fleur kopen. Nou kan Fleur toch. Ze vonden het zo zielig voor haar dat ze het moest missen. Nou wat zielig, zeg. Ze zou er haast medelijden van krijgen. Ze heeft er helemaal geen zin in om Fleur daar tegen te komen. En daar zeker over haar afspraakje met Toine vertellen? Dan gaat ze nog liever niet. Ze snapt Melissa niet. Het lijkt wel of ze het doet om haar te pesten. Ze werkt haar voortdurend tegen. Maar dat kind hoeft niet te denken dat dat zomaar gaat. Ze pakt haar terug, daar kan ze zeker van zijn.

Debby kijkt op haar horloge. Zo meteen komt haar moeder haar halen. Ze brengt haar naar de auditie. Haar moeder moet toch die kant op. Ze is er dan wel een beetje vroeg, want haar moeder heeft een vergadering, maar dat kan haar niet schelen. Die hele auditie kan haar op dit moment eigenlijk gestolen worden, maar ze gaat toch, anders komt ze niet in de clip. Laat ze maar vast haar spullen pakken. Ze heeft beloofd buiten te staan als haar moeder eraankomt. Ze kent haar moeder: als ze moet wachten, wordt ze kwaad.

Debby doet haar kast open, maar haar dansoutfit ligt er niet. Hoe kan dat nou? Vanochtend heeft ze het voor de zekerheid nog gecheckt en toen lag alles er nog. Of zou ze het met haar slaperige hoofd al in haar rugtas hebben gestopt? Debby maakt hem open, maar haar dansoutfit zit er niet in. Ze snapt er niks van. Ze haalt haar hele kast overhoop, maar vindt niets van haar outfit. Nou dat weer, denkt ze, en ik moet zo weg! Eigenlijk had ze al buiten moeten staan, maar ze kan toch niet in haar spijkerbroek auditie doen. Ze kijkt overal, zelfs in de wasmand, maar haar danskleding vindt ze niet.

'Zoek je iets?' Marits kamerdeur gaat open.

'Ja,' zegt Debby. 'Ik ben mijn dansoutfit kwijt.'

'Nee hè?' zegt Marit geschrokken. 'Wat vervelend en je moet nog wel auditie doen.'

Debby schiet gestrest haar kamer in. Nog één keer kijkt ze in de kast, de allerlaatste keer.

Ze is zo druk aan het zoeken, dat ze haar moeder niet de trap op hoort komen.

'Debby,' zegt ze geïrriteerd. 'Wat hadden we nou afgesproken? Je zou buiten staan. Ik zit al zo krap in de tijd.'

'Ik kan mijn dansoutfit niet vinden,' zegt Debby.

'Wat ben je toch een sloddervos. Wie wacht er nou tot het laatste moment? Zoiets bekijk je toch van te voren.'

'Dat hèb ik gedaan,' zegt Debby. 'Vanochtend lag alles er nog.'

'Ja hoor,' zegt haar moeder. 'Dat kan dus niet. Kleren hebben geen pootjes.'

Haar moeder kijkt gestrest op haar horloge. 'Ik vind het heel vervelend voor je, maar ik moet weg. Ik kan niet te laat op de vergadering komen. Dan moet je maar beter voor je spullen zorgen.' Ze wil weg lopen.

'Nee, wacht nou even!' roept Debby.

'Kijk eens.' Marit komt met een legging aan. 'Deze mag je wel lenen.'

Ze geeft hem aan Debby.

'Nou, je zus heeft je toch maar weer gered,' zegt haar moeder als Debby de legging in haar rugtas stopt. 'Wat ben je toch een lieverd.' Ze wrijft over Marits wang.

Wat een rotdag, denkt Debby als ze in de auto stapt. Alles zit tegen. Eerst die vreselijke Melissa en nu is ze haar spullen kwijt.

Haar moeder heeft de auto al gestart. 'Even kijken hoe ik het snelst bij Melissa's huis kom,' zegt ze.

Debby had aangeboden Melissa op te halen. Dat deed ze toen alleen maar om haar te paaien, maar met haar en het groepje zit het nu wel goed. Ze gaat maar op de fiets.

'O ja, je hoeft Melissa niet meer te halen,' zegt ze snel. 'Ze rijdt met iemand anders mee.'

'Mooi zo, dat scheelt weer,' zegt haar moeder.

Net goed, denkt Debby. Jij denkt dat we je komen halen, maar dan kun je lang wachten. In gedachten ziet ze Melissa voor het raam staan. Waar blijven ze nou? Ze gaat me natuurlijk bellen waar ik blijf, denkt Debby. Dag Melissa. Ze zet haar gsm uit.

Debby gniffelt. Ze vindt het echt iets voor Melissa om tot het allerlaatste moment op haar te wachten. En dan moet ze op de fiets, dat haalt ze nooit meer. Vanaf haar huis is het zeker een half uur fietsen. Je weet toch altijd alles zo goed? denkt Debby. Ook voor Fleur? Zoek dan nu ook maar uit hoe je naar de studio moet komen.

Debby voelt zich al een stuk lekkerder nu ze Melissa heeft laten zitten. Mooi dat zij nu de enige is die in de clip mag dansen, want dat weet ze zeker. Ze heeft net haar voicemail afgeluisterd. Melissa heeft helemaal in paniek ingesproken. Pas een kwartier geleden, zag ze, dus toen was ze nog thuis. Dat redt ze echt niet meer, dan mag ze wel een vliegtuig nemen. Jammer voor je, Melissa, denkt Debby, daar gaat je kans op de clip. Je had vast mee mogen doen omdat je altijd zo'n scène maakt, maar helaas, nu ben je er niet.

Zo erg te vroeg is Debby niet eens, dat komt omdat het zo druk op de weg was. Ze ziet al allemaal fietsen staan.

'Succes dan maar.' Haar moeder zet haar voor de deur af.

Debby loopt meteen door naar de kleedkamer. Ze haalt de legging uit haar rugtas en trekt hem aan. Dan vloekt ze. Er zit helemaal geen elastiek in. Hij zakt zo van haar billen! Zo kan ze toch niet dansen? Dat wist Marit, het klopte al niet dat ze zo behulpzaam was. Ze had haar ook niet moeten vertrouwen. Debby is woedend, maar nog het meest op zichzelf omdat ze er weer is ingetrapt. Wat moet ze nou? En iedereen is maar aan het stressen voor de auditie. Als zij dat nou deed, ze heeft niet eens een behoorlijke legging.

'Vind jij het ook zo eng,' zegt een meisje. 'Ik bibber helemaal.'

'Nergens voor nodig,' snauwt Debby. 'Jij wordt toch niet gekozen.'

Iedereen die wat tegen haar zegt, wordt afgesnauwd. Ze rukt haar riem uit haar spijkerbroek en bindt hem om de legging. Ze kijkt in de spiegel. Het ziet er niet uit, maar wat moet ze dan? Met een woedend gezicht komt ze de zaal in.

'Ophoepelen jij, dit is mijn plek.' Ze duwt een van de dansers naar achteren. Zo hard, dat het meisje bijna omvalt. De regisseur en de choreograaf kijken elkaar vragend aan, maar dat kan Debby niks schelen. Schiet nou maar op met jullie stomme auditie, denkt ze, dan kan ik naar huis.

De regisseur wacht nog even op Melissa, maar als ze niet komt, gaat hij beginnen. Debby begint te dansen. Haar bewegingen zijn prachtig, maar de woede druipt nog steeds van haar gezicht.

Zo, dat hebben we gehad, denkt ze als de muziek stopt. Ze weet zeker dat ze erbij zit. De regisseur en de choreograaf overleggen in een hoek van de studio. De spanning is om te snijden. Niemand zegt iets. Debby begint zogenaamd vrolijk te neuriën. Je kunt aan de anderen zien dat ze het irritant vinden, maar niemand durft iets te zeggen.

'We zijn eruit,' zegt de regisseur. En hij kijkt Debby aan.

'We zullen maar bij jou beginnen, Debby,' zegt hij. 'Aan je dansen zal het niet liggen, daarom hebben we je ook auditie laten doen, maar je uitstraling is onvoldoende. En dat is heel belangrijk voor een clip. Je hele houding is onsympathiek, daar zul je nog heel hard aan moeten werken. Wij durven het risico niet te nemen, dus helaas, we kunnen je niet gebruiken.'

Nou ja...? Debby's mond valt open van verbazing. Haar uitstraling! Gaat het alleen daarom? Omdat ze een keer niet zo vriendelijk heeft gekeken. Wat is dat voor belachelijks. Ze wil er tegenin gaan.

'Geen discussie.' De regisseur noemt de naam van de volgende op.

Debby kan het niet geloven. Stelletje eikels! Ze loopt de zaal uit en slaat de deur met een klap dicht.

10

Wat zal ze vanavond aantrekken als ze naar het Kooltuintje gaat? Debby doet haar klerenkast open. Moet je nou zien? Daar ligt haar dansoutfit, gewoon op de plek waar-ie altijd ligt. Haar moeder heeft hem vast gevonden. Ze is benieuwd waar hij lag.

'Waar lag mijn dansoutfit nou?' vraagt Debby aan haar moeder als ze beneden komt.

'Ik heb hem niet gezien,' zegt haar moeder.

'En hij ligt opeens in mijn kast,' zegt Debby. 'Hoe kan dat nou?'

'Waarschijnlijk was je gisteren zo gestrest voor de auditie dat je niet goed hebt gekeken,' antwoordt haar moeder.

Debby weet zeker dat het niet zo is. Ze had haar hele kast uitgekamd. Als de danspullen daar hadden gelegen had ze ze echt wel gevonden. Ineens weet ze het. Marit zit erachter. Ze was al zo jaloers toen ze hoorde dat ze auditie mocht doen. Woedend stuift ze Marits kamer in. 'Jij hebt mijn dansspullen gisteren gepikt en nu heb je ze gauw terug gelegd.'

'Dag, lief zusje.' Marit steekt haar tong naar haar uit. Ze ontkent het niet eens. 'Was je soms niet blij met mijn legging?' zegt ze pesterig. 'Toch super sexy, een legging die van je kont glijdt?'

Nu wordt Debby echt razend op haar zus. Gisteravond heeft Marit haar al de hele tijd zitten pesten omdat ze niet in de clip mocht dansen. En nu dit weer. 'Kreng dat je bent!' En ze geeft Marit een klap in haar gezicht.

Marit begint heel overdreven te gillen.

'Wat gebeurt hier?' Hun moeder komt meteen naar boven gerend.

'Ze slaat me,' zegt Marit. 'Moet je zien! Mijn wang doet hartstikke pijn.'

'Ze treitert me,' zegt Debby. 'Zij heeft mijn danspullen gepikt.'

'Daar geloof ik niks van,' zegt hun moeder. 'Laat die wang eens zien? Meisje toch.' Ze trekt Marit naar zich toe.

'Ja hoor, heb maar weer medelijden met haar.' Debby loopt kwaad haar kamer in. Ze doet de deur op slot. Ze wil niemand meer zien. En zeker die stomme zus van haar niet. Ze ploft op bed neer en dan moet ze huilen. Het is zo gemeen... Als ze een beetje rustig is geworden, haalt ze haar dagboek te voorschijn.

Debby kijkt op de klok. Is het al zo laat? Ze heeft een uur achter elkaar zitten schrijven. Maar het heeft haar wel goed gedaan. Ze was zo kwaad, ze trilde helemaal, maar nu ze alles aan haar dagboek heeft toevertrouwd, is ze weer wat rustiger.

Ze denkt aan het Kooltuintje. Daar gaan ze altijd heen op zaterdagavond. Ze is helemaal niet in de stemming, maar ze wil ook niet thuis blijven. Meestal is Toine er ook. Als ze niet komt, geeft ze Fleur vrij spel. Dat mocht Fleur willen, daarom moet Debby erbij zijn. Ze hoopt niet dat Toine over de clip begint. Dan moet ze zeggen dat ze is afgewezen. En waarom? Belachelijk gewoon. Omdat ze volgens die twee losers niet vrolijk keek. Wat had ze dan moeten doen? De hele tijd naar ze knipogen? Vieze mannetjes. Ze wordt weer kwaad als ze eraan denkt.

Een uurtje later staat ze voor de spiegel. Ze heeft haar nieuwe T-shirt aan. Het is knalgeel en heel laag uitgesneden. Je ziet zelfs een stukje van haar bh. Ze maakt zich ook extra dik op. Mocht Toine er zijn, dan moet ze wel indruk maken. Haar haren laat ze los hangen. Dat vinden jongens nou eenmaal heel sexy. Nog een beetje lippenstift en ze is klaar. Tevreden werpt ze een blik in de spiegel. Hier kun jij echt niet tegenop, Fleur, denkt ze. Het spijt me voor je.

Ze zorgt ervoor dat ze er expres vroeg is, misschien is ze dan nog even alleen met Toine. Zodra Melissa er is, kan ze het wel vergeten, die zal zich er wel weer mee bemoeien. Ze moet nu toeslaan, voordat Fleur met Toine naar de film is geweest. Stel je voor dat ze verkering krijgen, dan wordt het lastiger. Niet dat de liefde van Toine lang zal duren, dat gelooft ze nooit. Het is vast zo weer uit, en anders zorgt zij daar wel voor.

In Melissa heeft ze helemaal geen zin. Die zal wel balen dat ze de auditie is misgelopen. Had ze maar niet met haar moeten afspreken en op eigen gelegenheid moeten gaan. Ze zal haar wel vertellen dat ze niks gemist heeft. Als ze mij al niet toelaten, dan is Melissa helemaal kansloos, denkt ze.

Debby loopt de trap af. Heeft ze alles? Geld, fietssleutel... Help, mijn dagboek! denkt ze als ze Marit naar boven ziet gaan. Het ligt nog open en bloot op haar bureau. Lekker stom. Als Marit haar dagboek ooit onder ogen krijgt, heeft ze geen leven meer. Dan kan ze beter ergens anders gaan wonen. Nu pest haar zus haar al elke dag, maar dan wordt het nog erger. Al haar geheimen staan erin. Marit is zo in staat om het te kopiëren en op haar school uit te delen. Debby stuift omhoog. 'Opzij,' zegt ze tegen Marit, maar die laat haar er niet door.

'Waarom heb je zo'n haast, zusje?' Het is alsof Marit het ruikt. 'Heb je soms iets voor me te verbergen?' Ze neemt een spurt en rent Debby's kamer in.

'Nee, mijn kamer uit jij! Trut!' Debby rent achter haar aan.

Marit kijkt Debby's kamer rond. Op bed ziet ze een envelop liggen.

'Ach, je hebt een geheime *lover*.' Ze grist de brief weg en neemt hem mee naar haar kamer. Debby hoort dat ze de deur op slot doet.

Ga die stomme brief maar lekker lezen, denkt ze opgelucht. Er staat niks bijzonders in. Hij is van een sloom vakantievriendje. Dat joch blijft maar schijven terwijl ze nooit reageert. Ze pakt haar dagboek, tilt haar matras op en stopt het eronder.

Debby ziet het meteen als ze het Kooltuintje in komt. Toine staat bij het biljart. Verder is er nog niemand van hun groepje. Dat komt mooi uit, dan kan ze indruk op Toine maken. Ze trekt haar truitje omlaag en loopt naar hem toe.

'Hai,' zegt ze en ze kijkt heel verleidelijk.

'Hai,' zegt Toine, maar hij is er niet bij met zijn hoofd. 'Heb jij Wouter gezien? We zouden gaan biljarten, maar hij is er nog niet. Niks voor Wouter, die is altijd heel stipt. Ah!' roept hij als de deur opengaat. 'Daar heb je hem!' Hij wijst op zijn horloge. 'Je bent te laat, gozer, dat kost je punten.'

'Ik heb een heel goede reden,' zegt Wouter stralend. Ze zien Debby niet eens meer staan. 'Kijk eens!' Hij pakt zijn mobiel en laat een foto zien.

'Wie is die *chicka*?' vraagt Toine.

'*Cute* hè?' zegt Wouter. 'En ze zoent lekker...'

'Hij wel.' Toine geeft zijn vriend een stomp tegen zijn borst. Debby voelt zich een beetje voor gek staan. Toine is helemaal vergeten dat ze er staat.

Wouter pakt een keu en slijpt het puntje. 'Ik zal jou eens even inmaken.'

Debby is blij dat Kevin binnenkomt. Ze loopt meteen naar hem toe. Misschien moet ze straks nog een poging wagen. Jordi is er nu ook en daarna komt Fleur binnen. Debby ziet dat ze naar Toine kijkt. Fleur wordt rood als hij zijn hand opsteekt.

Je hoeft je echt geen illusies te maken, denkt Debby. Toine heeft geen aandacht voor je.

Debby vertelt over de auditie. Terwijl ze uitlegt hoe het is gegaan, kijkt Fleur alleen maar naar Toine. Je denkt zeker dat het niet opvalt? denkt Debby. Je zet jezelf voor gek, snap je dat dan niet? Af en toe kijkt Toine hun kant op. Kijkt hij nou naar haar of naar Fleur? Ze weet het niet.

'Hé, kijk eens wie we daar hebben?' zegt Fleur als Melissa binnenkomt.

Mens, doe niet altijd zo overdreven, denkt Debby. Alsof wij dat niet zien. Het lijkt wel of je verliefd op haar bent. Twee lesbo's, het zou haar niks verbazen.

Melissa geeft Jordi een aai over zijn wang. 'Heb je het al verteld?'

'Nee,' zegt Jordi.
'Mooi.'
'Jij weet het al,' zegt Melissa tegen Fleur.
'Wat weet Fleur al?' Debby moet het weten. 'Wat is er dan?'
'Het gaat over de auditie van gisteren,' zegt Melissa.
Nou krijgen we het, denkt Debby. Nu gaat ze zeuren, wedden? Nou, daar is ze zo mee klaar.
'Ja,' zegt Debby met een stalen gezicht. 'Waar was je eigenlijk? Ik heb uren staan wachten.'
Het valt haar mee hoe goed ze kan liegen, maar dat heeft ze wel van Marit geleerd.
'Je zou mij toch komen halen?' zegt Melissa.
Wat ben je toch een lekker tutje, denkt Debby. Ga huilen, nou goed? 'Je zou naar mijn huis komen,' zegt ze kalm. 'Mijn moeder zou ons brengen, weet je nog?'
'Ja, en mij ophalen,' zegt Melissa.
'O nee,' beweert Debby glashard. 'Dat is nooit afgesproken. Je vergist je.'
'Waarom heb je me dan niet gebeld?' vraagt Melissa.
Debby had al gedacht dat ze dat zou vragen. 'Mijn batterij was leeg,' zegt ze. Ze ziet dat Melissa haar niet gelooft, maar wat kan het haar schelen. Ze kan toch niks bewijzen. Maak je niet zo druk om die stomme auditie, denkt ze als Melissa maar doorgaat. Je mag me nog dankbaar zijn. Je zou echt afgegaan zijn.
'Hou er nou maar over op,' zegt Fleur. 'Het is duidelijk een misverstand. Vertel nou het goeie nieuws maar.'
Hoezo goed nieuws? denkt Debby. Ze verwacht dat Melissa gaat vertellen dat ze verkering met Jordi heeft. Nou, nou, wat een nieuws. Dat had ze allang gedacht. Die twee hangen al het hele jaar om elkaar heen. Jordi is hartstikke verliefd op Melissa. Het druipt ervanaf. Ze snapt ook niet waarom. Jordi kan best een leuker meisje krijgen, maar hij is helemaal dol op Melissa.
Maar Melissa zegt helemaal niet dat ze verkering met Jordi heeft. 'Ik mag meedoen met de clip,' zegt ze stralend.

Debby voelt dat ze rood wordt. 'Wat? Jij wel?' Hier snapt ze dus echt niks van. Ze was er niet eens tijdens de auditie. Maar dan hoort ze dat Jordi haar heeft gebracht. Ze heeft in haar eentje auditie gedaan. Daarom vindt iedereen het extra knap dat het haar is gelukt. Maar het klopt gewoon niet, denkt Debby. Het klopt echt niet. Die halfgare choreograaf heeft iets met Melissa, dat is nu wel bewezen. Ze zal wel heel erg tegen hem hebben geslijmd. En haar mag hij niet. Corrupte boel!

Iedereen is blij voor Melissa. Debby kan het niet goed verkroppen. Wat moet jij nou in een clip? denkt ze. Je durft helemaal niet te dansen! Ze weet zeker dat Melissa er alsnog uit wordt gekickt. De choreograaf is niet de baas, hoor, die regisseur heeft ook nog wel wat te zeggen.

Debby is zo in de war dat ze Toine helemaal is vergeten. Ineens ziet ze Fleur bij het biljart staan. Ze mag nog biljarten ook, Toine duwt haar een keu in haar hand. Wat ben je toch opdringerig, denkt Debby. Belachelijk gewoon. Als Toine over Fleur heen hangt om haar te helpen richten kan ze het niet langer aanzien. Ze stoot Jordi aan.

'Moet je Fleur nou zien! Ze kan het helemaal niet,' zegt ze kattig als de bal de verkeerde kant uit schiet.

Maar het ergste is nog dat Toine erom moet lachen. Dit gaat mis, denkt ze. Dit gaat helemaal mis. Hoe durft Fleur? Toine is van haar! Het liefst zou ze Fleur wegrukken. Maar het is al te laat. Terwijl ze door de spleetjes van haar ogen gluurt, ziet ze dat Toine en Fleur elkaar kussen. Wat een smaak heeft Toine, denkt Debby. Hoe kan het dat hij op Fleur valt?

Iedereen uit het groepje is blij voor Fleur. Aan haar denken ze niet. Niemand denkt aan haar. Wat doet ze hier nog? Het is allemaal de schuld van Melissa. Die had Fleur niet zo moeten aansporen. Melissa trakteert nog ook.

'Volgens mij hebben we twee keer iets te vieren,' zegt Melissa.

'Nou, ik niet dus,' mompelt Debby. En zonder te toosten neemt ze een slok. Welja, ga nog een beetje toosten ook op het geluk van die twee, denkt ze als iedereen elkaars glas aantikt. Niks geluk, kapot moet het. Hartstikke kapot. Ze drinkt haar glas in een keer leeg en staat op. 'Ik ga naar huis.' En ze loopt het Kooltuintje uit.

11

Debby fietst door de stad. Ze heeft net een nieuwe cd gekocht. Vlak bij de muziekwinkel is de Kroeg, daar komt haar zus altijd. Als ze langsrijdt ziet ze Marit staan, maar wat heeft die nou voor fiets bij zich? Als ze dichterbij komt ziet ze het ineens. Marit is op haar moeders racefiets. Als haar moeder dat wist! Ze is er heel zuinig op, ze mogen er nooit op rijden. Ze weet niet waarom Marit hem uit de schuur heeft gehaald. Waarschijnlijk om op te scheppen.

Debby stopt. 'Hé,' roept ze tegen Marit. 'Je hebt mama's fiets gepikt.'

'Bemoei jij je nou maar met je eigen zaken,' snauwt haar zus.

Debby fietst door. Marit moet het zelf maar weten.

Ze is allang weer thuis, als ze Marit en Sofie buiten hoort. Gillend van de lach komen ze de tuin in lopen.

'Hahaha... echt een racefiets, hoor,' giert Marit. 'Ik heb er nog nooit zo lang over gedaan. We hebben het hele eind kunnen lopen.'

Debby snapt niet zo goed waar het over gaat, tot ze aan het eind van de middag beneden komt.

'Jou moet ik spreken,' zegt haar moeder. 'Hoe haal je het in je hoofd om mijn racefiets uit de schuur te halen.'

'Ik?' roept Debby verontwaardigd. 'Je bent in de war met Marit.'

'O... Hoor je dat Sofie?' zegt Marit. 'Wat kun jij liegen, zusje.' Natuurlijk knikt Sofie ook nog.

'Hoe vaak heb je dit al geflikt?' vraagt haar moeder. 'Nu ben je tegen de lamp gelopen omdat je mijn band lek hebt gereden. Maar ik vraag me af hoe lang je deze truc al uithaalt?'

'Ik heb niet op je fiets gereden,' zegt Debby.

'Geef het nou maar toe, zusje,' zegt Marit. 'Je wilde eerst mijn fiets lenen, weet je nog? Je ketting was van je fiets gelopen en je moest weg. Maar ik had mijn fiets zelf nodig en toen–'

'Leugenaar!' schreeuwt Debby. 'Jij liegt alles aan elkaar, hè? Mijn ketting ligt niet van mijn fiets. Ik heb net nog een cd'tje gekocht.'

'Met míjn racefiets zeker?' zegt haar moeder.

'Niet dus!' roept Debby.

'Kom maar eens even mee. Wat is dit dan?' Ze gaat Debby voor naar de schuur en wijst naar Debby's fiets.

Debby kan haar ogen niet geloven. De ketting ligt er inderdaad af. Wat is haar zus toch een kreng.

'Dit heeft Marit gedaan,' zegt ze. 'Ik heb echt niet op je fiets gereden, ik zweer het.' Ze doet twee vingers omhoog. Maar wat ze ook zegt, haar moeder gelooft haar niet.

Buiten zichzelf van woede rent ze de trap op, haar kamer in. Ze ploft op haar bed neer. 'Trut trut trut!' Ze slaat keihard op haar kussen. Ze wilde dat Marit dood was.

Het is al de tweede keer deze week dat Marit haar een streek heeft geleverd. En haar moeder trapt er telkens in. Ze gelooft haar nooit. Had ze maar verkering met Toine, dan was het allemaal anders. Haar moeder vindt Toine nog steeds geweldig. Elke keer als ze heeft getennist, begint ze erover hoe bijzonder hij is. Maar erg genoeg heeft Toine verkering met Fleur. Debby haat het. Kon ze dat stel maar uit elkaar krijgen. Vanavond gaan ze met z'n allen naar de film. Ze heeft zin om een flinke ruzie tussen die twee te veroorzaken. Wist ze maar iets waardoor Fleur op Toine zou afknappen. Ineens krijgt ze een briljante inval. Fleur moet denken dat Toine op háár valt. Maar hoe pakt ze dat aan? De rest van de middag denkt ze erover na. Wat weet ze allemaal van Toine? Ze schrijft alle informatie die ze over hem heeft onder elkaar.

1. Toine is helemaal maf van drummen.

2. Toine komt altijd overal te vroeg. Dat heeft Kevin een keer verteld. 'Toine en ik zijn precies het tegenovergestelde,' zei Kevin. 'Ik ben altijd overal te laat en Toine is altijd te vroeg.' Heel goed dat ze dat weet. Vanavond is zij ook te vroeg in de bioscoop.

Debby wordt steeds kwader op Marit. Nou heeft ze haar moeders fiets ook nog naar de fietsenmaker moeten brengen, terwijl Marit hem had gepikt. En daarna is ze zeker een half uur bezig geweest om de ketting op haar eigen fiets te leggen. Ze heeft echt de ergste zus die er bestaat. Dit pikt ze niet. Ze was van plan haar eens flink de waarheid te zeggen, maar Marit slaapt vannacht bij Sofie. Toch hoeft Marit niet te denken dat ze hier zomaar vanaf komt. Debby krijgt haar nog wel. Wacht maar tot ze ineens met Toine thuiskomt. Na de ingeving van vanmiddag heeft ze weer hoop.

Om half zeven rijdt Debby al naar de bioscoop. Als ze er nu niet vroeg genoeg is...

Ze hebben pas om kwart over zeven afgesproken. In zichzelf moet ze lachen. Meestal is Fleur te laat. Ze hoopt dat ze nu ook te laat is, dat zou haar goed uitkomen. Heel goed zelfs.

Als ze een kwartier later voor de bioscoop staat, ziet ze Toines fiets nog niet staan. Zo te zien is er nog niemand van hun groepje. Ze loopt de hal in en bekijkt de affiches. Ze doet heel geïnteresseerd, maar vanuit haar ooghoeken gluurt ze naar de ingang. Toine, kom nou, denkt ze. Dan gaat er een schok door haar heen. Is dat Toine die binnenkomt? Yes! denkt ze als ze zeker weet dat hij het is. Ze draait zich om en loopt naar hem toe.

'Hai,' zegt ze met haar allerliefste glimlach. Ze kijkt naar zijn oor. Er zit een ringetje door. Toine draagt vaak een oorring, maar deze kent ze nog niet.

'Wat een gave oorring heb je,' zegt ze.

'Super, hè?' zegt Toine. 'Vanmiddag gescoord.'

Debby gaat vlakbij hem staan, zo dicht dat hij in haar truitje kan kijken. Dan pakt ze met haar vinger zijn oorring en beweegt hem zachtjes heen en weer. 'Doet het niet pijn?'

'Nee hoor,' zegt Toine. Terwijl ze een arm om hem heen slaat, duwt ze haar borsten tegen hem aan. Ze kriebelt met haar vingers aan zijn oor. Ze ziet dat Toine een kleur krijgt.

Nu! denkt Debby als Jordi binnenkomt. Ze gaat nog dichter tegen Toine aan staan, ze wacht tot Jordi kijkt en dan geeft ze Toine gauw een zoen in zijn nek. Yes! denkt ze. Jordi is geshockeerd, dat ziet ze. Toine schrikt ervan en maakt zich gauw los. Maar Debby doet net alsof ze op heterdaad zijn betrapt.

Ga dit maar aan Fleur vertellen, Jordi, denkt ze. Ze hoopt zo dat hij het doet. Wat een timing! Een paar minuten later komen Fleur en Kevin binnen. Ja, je had iets eerder moeten zijn, denkt Debby als Fleur nietsvermoedend naar Toine gaat en hem kust. Als ze naar Jordi loopt, kijkt Debby vol spanning toe. Zou Jordi iets zeggen? Maar jammer genoeg begint hij nergens over.

'Melissa is er nog niet,' reageert Debby als Kevin zegt dat de zaal open is.

Ze ziet dat Jordi onrustig door de hal heen en weer loopt. Die maakt zich natuurlijk weer zorgen om Melissa. Ze snapt Jordi niet. Hij blijft maar verliefd op Melissa terwijl zij allang een ander heeft. Tenminste, dat denkt Debby. Melissa is al een paar keer opgehaald door een of andere gast met een scooter. Helemaal geen lekker type. Daar zou zij dus nooit mee omgaan, maar Melissa schijnt hem wel leuk te vinden. Laatst kwam ze de hele ochtend niet opdagen op school. Die is er gloeiend bij, dacht Debby toen ze er bij Engels nog niet was. Maar toen hun leraar naar Melissa vroeg, zei Jordi gauw dat ze haar gymspullen aan het halen was. Dat had je nou niet moeten doen, dacht Debby. Ze had het Melissa wel gegund om eens lekker huisarrest te krijgen.

Nu staat Jordi met Fleur te praten. Het gaat natuurlijk weer over Melissa. Maken jullie je niet zo druk om haar, denkt ze. Jordi ziet er helemaal gestrest uit. Alsof hij bang is dat Melissa vermoord wordt. Hij wil niet eens de filmzaal in als de film begint. En Melissa is vast aan het zoenen met die jongen. Dat valt me nog van je mee, denkt ze als Jordi toch maar de zaal in gaat. Wat een eitje ben je toch.

Onder de film ergert Debby zich dood aan Fleur. Ze zit aan een stuk door met Toine te zoenen. Ze heeft zin om Fleur bij hem vandaan te sleuren. Rustig blijven, zegt ze tegen zichzelf, zo lang duurt die verkering niet meer. Ze denkt aan het moment dat Jordi de bioscoop in kwam. Tot nu toe heeft hij er nog niks over gezegd tegen Fleur, maar hij heeft het in elk geval gezien.

In het donker kijkt ze naar Jordi. Zo te zien heeft hij zijn aandacht niet echt bij de film. Die zit natuurlijk met zijn hoofd bij Melissa. Het is ook wel weer belachelijk, ze is helemaal niet komen opdagen. Ze had op z'n minst een sms'je kunnen sturen.

Welja, denkt Debby, als ze Jordi vlak voor de pauze met zijn mobiel weg ziet lopen. Ga haar maar weer bellen. Blijf vooral achter haar aan lopen! Als ze de hal inkomen, stapt Fleur meteen op hem af. Debby ziet aan hun gezichten dat er iets is. Zou Melissa een ongeluk hebben gehad?

'Wat is er?' vraagt Debby.

'Ja,' zegt Kevin. 'Dat wil ik ook weleens weten.'

Ze kijkt naar Jordi, maar die slaat zijn ogen neer.

'Melissa is aan de drugs,' zegt Fleur. 'Ze gebruikt XTC.'

'Hoe weet je dat?' vraagt Kevin.

'Van Jordi,' zegt Fleur.

Jordi knikt. 'Ze logeert zogenaamd bij Fleur, dat zei haar moeder, maar in werkelijkheid is ze naar de Florida.'

Debby weet niet wat ze hoort. De Florida? Die drugstent? 'Belachelijk!' zegt ze. 'Mijn vriendin is ze niet meer, als ze dat maar weet.'

Ze was toch al razend op Melissa, maar dat gaat de rest niks aan. Stom kind, denkt ze. Nog een beetje slikken ook. En Fleur wel aan Toine koppelen. 'Je moet actie ondernemen...' Debby hoort het haar nog zeggen. En zelf XTC slikken. Dat is pas een maffe actie.

Fleur vindt nog dat ze Melissa moeten helpen ook. Nou, daar heeft ze dus echt geen zin in. Ze zegt het ook eerlijk, maar daardoor krijgt ze Jordi tegen zich. Moet je hem horen, denkt Debby. Hij draait alles om. Hij vindt dat zij er zelf ook schuld aan hebben, omdat ze Melissa hebben aangespoord auditie te doen toen ze niet meer durfde. Welja! Nou, dat geldt dan niet voor mij, denkt Debby. Ze heeft er echt alles aan gedaan om het onmogelijk voor Melissa te maken. Als het aan haar had gelegen was Melissa niet op de auditie gekomen. Maar je moest haar zelf zo nodig brengen, Jordi. Melissa hoort ook niet in een clip, dat wist zij meteen. En nou blijkt het maar weer. Ze heeft XTC nodig, anders durft ze niet te dansen. Je lijkt wel gek, denkt Debby als Jordi maar tegen haar ingaat. Ja hoor, maak maar ruzie met mij. Alsof ze haar mening niet mag geven. Ze dacht dat ze in een vrij land woonden, maar daar schijnt Jordi anders over te denken.

Ze besluiten na de film naar de Florida te gaan.

Debby piekert er niet over mee te gaan. Voor je het weet, zit er wat in je cola. Ze kijkt wel uit. Eigenlijk komt het haar goed uit dat ze na de film weggaan. Dan kan zij mooi wat drinken met Kevin.

'Dus we breken nu allemaal op?' zegt Kevin als de film is afgelopen.

'Nee, ik niet, en jij ook niet.' Debby slaat een arm om Kevin heen. 'Anders moet ik hier helemaal alleen iets drinken, en dat wil je niet, hè?' Ze kijkt er poeslief bij. Debby weet wel dat Kevin daar gevoelig voor is.

'Gaan jullie maar, ik blijf bij Debby,' zegt hij dan ook.

Mooi zo, denkt Debby. Dan kun je mij mooi van alles over Toine vertellen.

12

Debby zet haar fiets voor de H&M. Ze gaat shoppen met Fleur. Een paar dagen geleden hebben ze dat al afgesproken, maar nu weet ze niet of Fleur wel komt. Dat hangt ervan af hoe het gisteravond is gegaan. Fleur is met Jordi en Toine naar de Florida geweest. Hoe het met Melissa is afgelopen, interesseert haar geen klap. Als die haar leven kapot wil maken door die stomme drugs, moet ze het lekker zelf weten. Wat ze wel spannend vindt, is dat Jordi al die tijd met Fleur was. Een heel goede gelegenheid om haar te vertellen wat hij gisteravond in de bioscoop heeft gezien. Ze heeft goede hoop, want vanochtend heeft ze niks van Fleur gehoord. Ook geen sms'je of zo. Als Jordi het inderdaad heeft verteld, is ze waarschijnlijk woedend op haar. Dan komt ze vast niet en staat ze hier voor paal, maar dat heeft ze er wel voor over. Het zou geweldig zijn.

Debby is teleurgesteld als Fleur toch aan komt rijden. Helemaal als ze ook nog uitbundig naar haar zwaait. Shit! denkt ze. Je weet nog van niks. Echt Jordi weer. Waarom heeft hij niks gezegd? Die loser denkt ook alleen maar aan Melissa.

Fleur omhelst haar vriendin. Ze vertelt niks over de Florida, en Debby vraagt er ook niet naar. Ze is niet geïnteresseerd in junks.

'Zullen we?' Met een stralend gezicht loopt Fleur de H&M in. Als ze tussen de kledingrekken kijkt, begint ze nog te zingen ook.

Hou je kop eens, denkt Debby geïrriteerd. Jij had hier helemaal niet vrolijk rond moeten lopen. Je had huilend in je bed moeten liggen. Als Fleur maar blijft zingen, kan ze er niet meer tegen. 'Tjonge, wat zing jij vals,' zegt Debby.

Fleur zingt gewoon door. 'Het is zo te gek tussen Toine en mij!' zegt ze stralend.

Debby verbijt zich. Waarom heeft Jordi niks gezegd? Hij hoeft heus niet te denken dat ze afhankelijk van hem is. Dan krijgt Fleur het gewoon van haar te horen.

'Weet je dat wel zeker?' vraagt Debby.

'Hoezo?' vraagt Fleur.

'Ik weet niet of ik het wel moet vertellen.'

Nu wordt Fleur onzeker. 'Wat dan?'

'Het gaat over Toine,' zegt Debby. 'Je weet zeker dat je het wilt weten?'

'Ja, natuurlijk wil ik het weten,' antwoordt Fleur.

'Goed dan,' zegt Debby. En ze vertelt dat Toine haar gisteravond in de bioscoop wilde zoenen. Dat ze het vreselijk vond tegenover Fleur, maar dat hij maar niet ophield. Hij stopte pas toen Jordi binnenkwam en toen liet hij haar gauw los.

Alle kleur trekt uit Fleurs gezicht weg. 'Is dat echt waar?' vraagt ze.

'Vraag maar aan Jordi, hij heeft ons gezien.'

Zo, denkt Debby. Kijken of je nu nog zo vrolijk zingt. Maar Fleur zingt helemaal niet meer. De tranen springen in haar ogen.

'Misschien had ik het je ook niet moeten vertellen,' zegt Debby schijnheilig.

'Natuurlijk wel.' Fleur veegt een traan weg. 'Het is juist goed dat je het hebt verteld.'

Een paar minuten later kijkt Debby Fleur na. Mooi zo, denkt ze als Fleur de hoek om rijdt. Ga maar gauw naar Toine en maak het maar uit.

Zelf gaat ze naar huis. Ze hoopt zo dat het is gelukt. Stel je voor dat Melissa zich er weer mee gaat bemoeien, dan komt het misschien toch nog goed. Als dat zo is, *kill* ik haar, denkt Debby. Ze begint steeds meer te twijfelen of haar actie gelukt is. Als het uitkomt, wordt ze uit het groepje gekickt.

Maar na een uur krijgt ze ineens een sms'je. Het is van Fleur. Debby durft het bijna niet open te maken. Ze haalt diep adem en dan kijkt ze.

Ik heb het uitgemaakt, Pieter is met me meegegaan.

Debby kan wel juichen. Dat is makkelijk gegaan. Echt shit voor je, sms't ze terug.

Een uurtje later rijdt Debby weer door de winkelstraat. Dit keer gaat ze niet shoppen, maar ze rijdt naar het huis van Toine. Voordat ze Toines straat in gaat, kijkt ze of de kust veilig is. Ze moet niet hebben dat Kevin haar toevallig ziet of Melissa, nog erger! Ze weet waar Toine woont, dat heeft ze opgezocht. Als ze zeker weet dat er geen bekende aankomt, rijdt ze de straat in. Toine woont een paar huizen van de hoek. Ze hoopt dat hij er is. Als ze zijn fiets niet ziet staan, belt ze niet aan, dat heeft geen zin.

Yes! Als ze de tuin in kijkt, ziet ze zijn fiets staan. Ze zet net haar fiets op slot als haar mobiel gaat.

Nee hè? denkt ze als ze op het venster kijkt. Die tut van hip-hop. Daar heeft ze nu geen tijd voor. Ze drukt haar weg. Ze moet zich concentreren. Nu mag ze geen fouten maken. Ze loopt het tuinpad op. Het is best eng. Voor de deur telt ze tot drie en dan belt ze aan. In de gang hoort ze voetstappen. Een meisje van een jaar of acht doet open.

'Ik kom voor Toine,' zegt ze.

'Toine!' roept het meisje. 'Er is iemand voor je.'

Toine komt naar de deur. Jij hebt een dreun gehad, denkt Debby als ze zijn gezicht ziet. Hij huilt nog net niet, maar het scheelt niet veel.

'Hoi,' zegt hij.

'Hi,' zegt Debby. 'Ik eh...ik kom namens Fleur. Ze heeft me gevraagd of ik even naar je toe wilde gaan. Balen trouwens dat het uit is.' Ze pakt Toines hand. 'Ik vind het zo rot voor je. Maar Fleur moest het wel uitmaken.'

'Waarom dan?' vraagt Toine. 'Ik snap er niks van.'

'Ze zat er al een tijdje mee,' zegt Debby. 'Ze was niet echt verliefd op je. Ik weet hoe dat voelt. Ik heb het zelf ook gehad met Pieter.'

'Dus ze heeft me belazerd,' zegt Toine. 'Nou, lekker dan.'

'Zo moet je het niet zien,' zegt Debby. 'Helemaal niet. Ze dacht dat ze verliefd was, maar eh... toen zag ze Brian vanmiddag weer en toen–'

'Brian?' vraagt Toine.

'Ja,' zegt Debby. 'Daar is ze heel lang mee geweest.'

'Ze heeft me nooit over hem verteld,' zegt Toine.

'Dat is nog te pijnlijk,' zegt Debby. 'Ze was kapot toen hij het uitmaakte. Ze wil hem heus niet terug hoor, dat moet je niet denken. Maar toen ze hem zag, wist ze ineens weer hoe het voelt als je echt verliefd bent, snap je?'

'Ik vind het echt zo klote voor je,' zegt ze als Toine zijn schouders ophaalt. 'Als je troost nodig hebt, ik heb een dvd die jij helemaal te gek vindt.' En ze noemt doodleuk de naam van de dvd die ze gisteren van Kevin te horen kreeg.

'Die kan je hier toch helemaal niet krijgen?' zegt Toine verbaasd. 'Hij is alleen in de States te koop.'

'Mijn vader woont in L.A.,' zegt Debby. 'Hij heeft hem gestuurd. Ik ben vanavond thuis en morgen ook. Je kunt zo langskomen.'

Ze heeft die dvd helemaal niet, maar dat ziet ze dan wel weer. Als Toine maar eerst bij haar op haar kamer is, dan zorgt ze zelf wel voor vermaak. Maar Toine is nog steeds met Fleur bezig.

'Misschien moet ik toch nog met Fleur praten,' zegt hij. 'Volgens mij was ze wel verliefd. Het kan dat het iets heel anders was wat ze voor die Brian voelde. Dat hoeft heus niet minder te zijn.'

Help, denkt Debby. Dat moet ze dus niet hebben. 'Ze wil niet praten,' zegt ze gauw. 'Absoluut niet. Het is uit Toine, accepteer het.'

Toine schudt zijn hoofd. 'Dat kan ik nog niet. Het was zo te gek. Vannacht waren we nog samen in de Florida. We hebben nog heel innig gedanst Ze is in de war geraakt door die Brian. Dat heb je met exen. Weet je wat ik doe, ik geef ons nog een kans. Ik wacht haar maandagochtend op. Niet vertellen hoor, dan schiet ze misschien in de stress.'

'Ik hou mijn mond,' zegt Debby. 'Dan ga ik maar. Sterkte hè?

En je weet bij wie je terecht kunt,' zegt ze zo luchtig mogelijk. Hij moet niet het idee hebben dat ze achter hem aan zit. Hij moet eerst op haar kamer zijn, dan spint ze hem wel in haar web.

13

Debby heeft de hele zaterdagavond gewacht, maar Toine is niet komen opdagen. Als ze 's morgens wakker wordt, denkt ze er meteen aan. Het zit haar niks lekker dat hij niet is geweest. Volgens Kevin is het zijn lievelingsfilm. Niet dat hij hem echt te zien krijgt, maar dat weet hij niet. Hij zit dus nog veel te veel met Fleur in zijn hoofd. Maandagochtend wil hij Fleur opwachten, dat moet ze dus helemaal niet hebben. Als die twee met elkaar gaan praten dan weet ze wel hoe het gaat, dan is het zo weer aan. Ze moet ervoor zorgen dat hij Fleur niet te spreken krijgt. Ze heeft er alles aan gedaan om het uit zijn hoofd te praten, maar het is dus niet gelukt. Dan moet ze het maar bij Fleur proberen. Ze denkt er de hele ochtend over na hoe ze ervoor kan zorgen dat Fleur hem niet wil spreken, en ineens weet ze het. Ze wacht nog af of Toine langskomt, maar als hij aan het eind van de middag nog niet is geweest, belt ze Fleur op.

Debby valt meteen met de deur in huis. 'Wat denk je?' zegt ze als ze Fleur aan de lijn heeft. 'Staat hij zomaar bij mij voor de deur.'

'Wie?'

'Toine natuurlijk. Hij wil verkering met me. Ik heb hem natuurlijk meteen verteld dat ik dat niet doe. Je bent mijn vriendin, stel je voor. Het was wel een superraar gesprek, hoor. "Ben je soms bang dat Fleur kwaad wordt?" vroeg hij. Ja erg is hij, hè?'

'Wat heb je gezegd?' vraagt Fleur.

'Dat weet ik niet eens meer,' zegt Debby. 'Maar hij gaat jou morgen opwachten.'

'Zeker om te om te zeggen dat het hem spijt. Nou, daar zit ik niet op te wachten.'

'Nee, hij wil niet dat jij boos wordt als hij verkering met mij heeft. Dat wil hij zeggen.'

Even blijft het stil.

'Maak je maar niet druk,' zegt Debby. 'Ik wil hem toch niet. Weet je wat hij nog meer zei?' gaat Debby verder. 'Ja, het is erg, hoor. Hij heeft alleen maar verkering met jou genomen om bij mij in de buurt te komen. Hoe vind je dat nou? Ik was er al bang voor. Daarom heb ik je toen ook gewaarschuwd, maar Melissa wist het zogenaamd zo goed. Maar ja, nu is het tenminste uit. Dus als hij je morgen opwacht, dan weet je wat hij wil vragen.'

Als ze heeft opgehangen, zet ze haar lievelingsnummer op en begint te dansen. Hoe lang zal het nog duren voor zij verkering met Toine heeft? Een week misschien? Langer niet, daar zal ze wel voor zorgen.

Debby gaat maandagochtend expres vroeg naar school. Ze moet weten of Fleur met Toine heeft gesproken.

Niemand van hun groepje is er nog, alleen Kevin. Als hij Debby ziet, zet hij zijn BMX tegen de boom. 'Wat een toestand, hè?' zegt hij.

'Dat kun je wel zeggen,' zegt Debby. Het verbaast haar dat Kevin het al weet dat Fleurs verkering uit is. Fleur is nooit zo close met Kevin.

'Ik weet ook niet wat we eraan kunnen doen,' zegt hij. 'Maar ik heb het er met Jordi over gehad, er moet iets gebeuren.'

Debby schrikt. Straks gaan ze zich er allemaal mee bemoeien. Nou, dan komt het absoluut uit. 'Daar moeten wij ons buiten houden,' zegt ze. 'Echt, hoor.'

'Dat vind ik niet,' zegt Kevin. 'Ze is een van ons, hoor. We laten haar toch niet zomaar kapotgaan?'

'Doe niet zo dramatisch,' zegt Debby. 'Fleur pleegt heus geen zelfmoord omdat haar verkering uit is.'

'Is het uit?' zegt Kevin. 'Dat wist ik helemaal niet.'

'Waar heb je het dan over?' Nu snapt Debby er niks meer van.

'Over Melissa,' zegt Kevin. 'Weet je het dan niet? Ze is vannacht opgepakt door de politie met een lading XTC.'

'Wat? Dus ze dealt ook nog,' zegt Debby.

Kevin wordt kwaad. 'Natuurlijk niet! Jij kunt er echt helemaal niks mee, hè? Iemand heeft het in haar tas gestopt. Ze is genaaid, Debby. Dat is toch verschrikkelijk?'

Ze kijken alletwee naar Melissa, die uit de auto van haar vader stapt. 'Ze mag zeker niet meer alleen naar school,' zegt Kevin. 'Zo meteen komt haar vader haar ook nog halen. Wat een ellende, daar word je toch gek van.'

'Logisch toch?' zegt Debby. 'Ik snap het wel van die vader.'

'Kom mee,' zegt Kevin. 'Dan gaan we naar haar toe.'

'Nee, dank je,' zegt Debby. 'Ik ben nooit met een junk omgegaan en dat hou ik liever zo.'

'Doe normaal!' Kevin stapt op Melissa af, maar blijkbaar wil ze niemand zien, want ze gaat gauw naar binnen.

Het bevalt Debby niks. Het is bijna tijd en Fleur is er nog steeds niet. Die is vast niet doorgereden toen ze Toine zag, anders was ze allang op school geweest.

Shit, denkt ze. Straks zitten ze ergens op een bankje te vrijen. Ze is al helemaal in de stress als ze Toine aan ziet komen. Opgelucht haalt ze adem. Hij ziet er niet bepaald vrolijk uit. Debby laat gauw haar tas vallen voor zijn fiets zodat hij wel moet stoppen. Al haar pennen rollen over de grond.

'Nee hè!' roept ze.

Toine legt zijn fiets neer en helpt haar oprapen.

'Hi,' zegt ze. 'O ja, jij zou Fleur opwachten. Is het weer aan?'

'Nee,' zegt Toine. 'Ze wilde niet met me praten.'

'Misschien zag ze je niet,' zegt Debby. 'Dat kan toch?'

'Ze zag me wel,' zegt Toine. 'Ik stond bij het viaduct. Ik riep haar nog. "Ik wil met je praten," riep ik. "Alsjeblieft..." Ik ben nog gek ook, maar ja... Weet je wat ze zei?'

'Sorry of zo, ja, dat is natuurlijk logisch.'

'Niks sorry!' valt Toine haar in de rede. "Fijn voor je," riep ze. "Maar ik niet met jou." En ze reed hard weg. Met mijn gekke kop ging ik haar nog achterna ook. Maar opeens was ze verdwenen. Het is toch belachelijk, ze stuurt jou naar me toe, ze durft het niet eens zelf te zeggen. Wat een afknapper.'

Debby stopt haar etui weer in haar rugtas. 'Nou, dat is zeker wel een afknapper.'

'Dat kun je wel zeggen,' zegt Toine. 'Ik had nooit gedacht dat Fleur zo was.'

'Ja, zo is ze,' zegt Debby. 'Hé, gaat het?' Ze legt haar hand in zijn nek.

'Jawel,' zegt Toine. 'Laat me maar. Ik kom er wel overheen. Op deze manier maakt ze het me wel makkelijk. Heel makkelijk. Ik stond gewoon voor paal, hoe durft ze?'

Goed zo, denkt Debby. Word maar goed kwaad op Fleur. 'Sterkte, en het aanbod van de dvd geldt nog steeds, hoor.' Debby gaat de school in.

14

Debby zit op haar kamer. Met een tevreden gezicht haalt ze haar dagboek te voorschijn. Het is nog geen week geleden dat Fleur haar verkering heeft uitgemaakt en nu denkt iedereen al dat Toine verliefd op haar is. Daar zorgt ze dan ook wel voor. Er gaat geen pauze voorbij, of Debby staat bij Toine. Voor haar gevoel wordt het elke dag closer tussen Toine en haar. Ze is blij dat ze nu steeds bij Toine is. Anders moest ze met Melissa omgaan. Ze ergert zich dood aan Melissa met haar drugs. Ze vinden het allemaal zo zielig voor haar. Nou, zij heeft echt geen medelijden. Elke pauze loopt ze met Jordi's mobiel aan haar oor. Zelf heeft Melissa geen mobiel meer, die heeft haar vader in beslag genomen. Ze ziet haar constant bellen en niemand mag het horen. Ze belt steeds met die Jim, zo heet die danser. Volgens Jordi is dat een dealer. Ja ja, Melissa is zelf crimineel.

Debby pakt haar pen en begint in haar dagboek te schijven.

Vandaag weer ruzie met Jordi. Alleen maar omdat ik gezegd heb dat hij verliefd is op een junk. Ze werden allemaal kwaad. Ik geloof dat je nooit de waarheid mag vertellen. Maar wat kan het mij schelen? Ze doen maar. Ik ga vanavond naar de repetitie van de schoolband. Toine vindt het goed dat ik kom. Ik denk dat we vanavond verkering krijgen...

Ze wil haar dagboek dichtslaan als ze een sms'je krijgt. Het is van Fleur. Ik ga zo meteen met Jordi naar het huis van die Jim. Jordi wil weten of er drugs te vinden zijn.

Jullie kunnen beter Melissa's kamer overhoop halen, denkt ze. Maar dat sms't ze maar niet. Fleur heeft het toch al zo moeilijk. Debby ziet haar wel steeds gluren als zij bij Toine staat. Jammer voor je Fleur, hij is nu van mij.

Heel goed van jullie! Succes! Sms't ze terug. Ze loopt naar haar klerenkast. Ze moet er vanavond supersexy uitzien.

Debby zit met een stralend gezicht in de aula, vlak voor het podium. Zo kan Toine haar goed zien. Ze moedigt de band voortdurend aan. 'We want more! We want more!' roept ze als het nummer is afgelopen.

'Sorry,' zegt de zanger. 'Dat gaat niet.'

Maar Debby gaat maar door.

Kevin is duidelijk geïrriteerd. 'Effe dimmen, Debby.' Hij kijkt naar Toine. 'Dat is nou precies de reden waarom we geen publiek willen.'

Toine maakt een verontschuldigend gebaar. 'Zullen we kappen?'

'Nee, niet kappen, ik heb nog maar drie nummertjes gehoord,' zegt Debby. Toine kan nou wel net doen of hij zich voor haar schaamt, maar ze weet zeker dat hij dat niet meent. In zijn hart is hij heel blij dat ze zo enthousiast is. Straks gaan ze samen iets drinken en dan...

Wat gebeurt daar? Er valt een scherm op de grond. Iedereen schrikt van de klap, maar Debby schrikt nog het meest. Ze kijkt recht in het gezicht van Fleur. Wat moet jij hier? denkt ze. Je hebt je achter het scherm verstopt. Je probeert aandacht te trekken van Toine met je belachelijke actie. Net nu ik bijna verkering met hem heb. Aan Toines gezicht ziet ze dat hij nog gevoelens voor Fleur heeft. Dat mocht je willen, denkt ze. Ze weet ook niet hoe ze op het idee komt, maar ineens is het er.

'Fleur!' roept ze. 'Fleur kan goed zingen!'

Ze ziet dat Fleur zich doodschrikt. Ga jij maar mooi voor Toine zingen, schorre kraai, denkt Debby. Je zingt toch zo vals? In haar hoofd hoort ze de woorden van Pieter. 'Mijn zus is niet om aan te horen...' Ja, daar sta je nou met je rooie kop.

Fleur probeert eronderuit te komen.

'Kom op, Fleur,' zegt Kevin. 'Spring op het podium!'

'Ja, laat eens wat horen, Fleur!' roept Debby.

'Ik kan niet zingen,' zegt Fleur.

'Maakt niet uit,' zegt Kevin.

Dus wel, denkt Debby.

Yes! denkt ze als Fleur het podium op gaat. Kijk haar nou naar Toine kijken! Die blik maakt Debby helemaal razend. En Toine komt nog voor haar op ook.

'Je hoeft dit niet te doen,' zegt hij.

Van mij dus wel, denkt Debby. Ik wil dat Toine voorgoed op je afknapt met je valse heksenstem. Debby kan niet wachten tot Fleur afgaat. Ze gaat expres zo zitten dat ze Toines gezicht goed kan zien. Dat wordt lachen, denkt ze als de band begint te spelen. Het duurt even, maar dan valt Fleur in. Maar wat is dat? Hoe kan dit? Debby heeft het gevoel alsof ze gek wordt. Fleur zingt helemaal niet vals. Het klinkt juist heel mooi.

Hoe kon ze zo stom zijn? Ze ziet het aan Toines gezicht. Aan de liefdevolle blik waarmee Toine en Fleur naar elkaar kijken. Ze heeft verloren.

Zodra Fleur is uitgezongen, staat Debby op. 'Ik moet naar huis,' zegt ze. En ze verdwijnt.

Het is wel duidelijk dat het weer helemaal goed komt tussen Fleur en Toine. Als ze buitenkomt, dringt het pas tot haar door wat dat betekent. Ze is niet alleen Toine kwijt, maar eigenlijk is ze nu alles kwijt. Haar moeder zal altijd partij voor Marit blijven trekken. Daar kan ik niet meer tegen, denkt ze. Bij het park stapt ze af. Ze gaat aan de waterkant zitten en staart voor zich uit.

Ik wil het niet meer, denkt ze. Ik wil niet meer naar huis. Dan komt er een gedachte in haar op waar ze zelf van schrikt. Ik loop weg! gaat het door haar heen. Ze is al zo vaak verdrietig geweest, maar dit heeft ze nog nooit gedacht. Ze duwt de gedachte meteen weer weg. Want waar moet ze heen? Ze denkt aan haar vader die in LA woont. Ze weet niet waar, maar dat kan ze uitzoeken. Ze pakt haar fiets en rijdt naar huis. Maar hoe kan ze zomaar naar Amerika? Een ticket naar LA is hartstikke duur, zoveel geld heeft ze niet. Ze is nog steeds in de war als ze thuiskomt. Als ze haar fiets in de schuur heeft gezet, gaat ze naar binnen. Ze loopt meteen door naar haar kamer, ze wil niemand zien. Als ze de deur van haar kamer opendoet, blijft ze als versteend staan. Haar moeder zit op haar bed met haar dagboek in haar hand.

Nee! Ze heeft alles gelezen. Debby wordt krijtwit. Weg hier! denkt ze. Ik ga weg! En ik kom hier nooit meer terug. Ze draait zich om en rent rent de trap af.

'Debby!' roept haar moeder. 'Debby, meisje, blijf toch alsjeblieft hier!'

Die stem... Zo heeft haar moeder nog nooit tegen haar gepraat. Halverwege de trap blijft Debby staan. Ze voelt haar moeders arm om zich heen.

'Lief kind van me, het spijt me zo.'

Debby kijkt haar moeder aan. Haar moeders ogen staan vol tranen. 'Wat ben ik dom geweest,' zegt ze. 'Het komt omdat je zo op papa lijkt en papa loog me altijd voor. Maar je bent papa niet, dat had ik veel eerder moeten inzien. Ik ben zo dom geweest, ik had je veel eerder moeten geloven.' Haar moeder neemt Debby's gezicht in haar handen.

'Liefje, wil je me vergeven?' vraagt ze.

Je zegt 'liefje', denkt Debby. Je zegt het echt. Dat zeg je altijd tegen Marit, en nu zeg je het ook tegen mij. Even is ze bang dat ze droomt. Maar ze ziet het aan haar moeder. Ze meent het, ze meent het echt.